LA PRODUCTION DE FROMAGES POUR LES DÉBUTANTS

50 RECETTES FACILES ET AMUSANTES

POUR UN MODE DE VIE SAIN

LAURENT DANEY

TABLE DES MATIÈRES

INTRODUCTION

Bienvenue dans la fabrication du fromage!

Tout le monde aime le fromage, mais qu'est-ce que c'est vraiment et pourquoi ne le faisons-nous pas plus souvent à la maison? Le fromage est un produit laitier dérivé du lait qui est produit dans une large gamme de saveurs, de textures et de formes par coagulation de la caséine de protéine du lait. Il contient des protéines et des matières grasses du lait, généralement le lait de vache, de buffle, de chèvre ou de mouton.

La plupart des fromages faits maison sont fabriqués à partir de lait, de bactéries et de présure. Le fromage peut être fabriqué à partir de presque tous les types de lait, y compris la vache, la chèvre, le mouton et l'écrémé, entier, cru, pasteurisé et en poudre.

La fabrication artisanale du fromage diffère de la fabrication commerciale du fromage par sa taille et par la nécessité de produire des produits en double exact jour après jour pour les marchés de détail.

Les fromagers commerciaux utilisent les mêmes ingrédients que les fromagers à domicile, mais ils doivent obtenir des certifications locales et suivre des réglementations strictes. Si vous souhaitez vendre votre fromage, il est important de commencer par fabriquer du fromage simple.

Qu'est-ce qui rend chaque fromage si différent lorsque différents types de fromage utilisent les mêmes ingrédients? À première vue, il peut sembler que différents types de fromages sont fabriqués de la même manière. Cependant, les différences dans le fromage proviennent de très légères variations dans le processus. Le cheddar et le colby, par exemple, sont très similaires au départ, mais Colby a une étape où de l'eau est ajoutée au caillé, ce qui en fait un fromage plus humide que le cheddar.

Certains autres facteurs qui jouent un rôle dans le fromage final comprennent la quantité de culture, le temps d'affinage, la quantité de présure, la taille du caillé, la durée et la hauteur du chauffage du lait, la durée de brassage du caillé et la façon dont le lactosérum. est retiré. Des changements mineurs dans l'un de ces domaines peuvent faire une différence dramatique dans le fromage final.

Le rendement en fromage d'un gallon de lait est d'environ une livre pour le fromage à pâte dure et deux livres pour le fromage à pâte molle.

Lorsque vous achetez des fournitures de fabrication de fromage, il est judicieux de trouver d'abord une recette de fabrication de fromage, puis de commencer à dresser une liste des ingrédients et de l'équipement dont vous aurez besoin pour fabriquer votre fromage.

FROMAGES ENROBÉS ET FRAPPÉS
1. Brin d'Amour

FAIT 1 livre

- 2 litres de lait de chèvre pasteurisé
- 2 litres de lait de vache entier pasteurisé
- ¼ cuillère à café de culture starter mésophile en poudre MA 4001
- 1 cuillère à café de chlorure de calcium dilué dans ¼ tasse d'eau fraîche non chlorée
- 1 cuillère à café de présure liquide diluée dans ¼ tasse d'eau fraîche non chlorée

- 2 cuillères à café   sel de mer
- 1½ cuillère à café de thym séché
- 1½ cuillère à café d'origan séché
- 1½ cuillère à café de sarriette séchée
- 1½ cuillère à café d'herbes de Provence

- 3 cuillères à soupe de romarin séché
- 1 cuillère à café de paprika
- 1 cuillère à café de graines de coriandre entières
- 1 cuillère à café de grains de poivre mélangés entiers
- 1 cuillère à café de baies de genièvre entières
- 2 cuillères à café d'huile d'olive

1. Dans une marmite non réactive de 6 pintes, chauffer les laits à feu doux à 86 ° F; cela devrait prendre environ 15 minutes. Éteignez le feu.

2. Saupoudrez le démarreur sur le lait et laissez-le se réhydrater pendant 5 minutes. Bien mélanger à l'aide d'un fouet dans un mouvement de haut en bas. Ajoutez le chlorure de calcium et fouettez doucement, puis ajoutez la présure de la même manière.

3. Couvrir et maintenir à 72 ° F, en laissant le lait mûrir pendant 8 heures, ou jusqu'à ce que le caillé forme une grande masse, la consistance du yogourt épais et du petit-lait clair coule sur les côtés du pot. Vérifiez le caillé pour une pause nette. Si le bord coupé est propre, le caillé est prêt.

4. Placez une passoire sur un bol ou un seau assez grand pour capturer le lactosérum. Tapissez-le de mousseline de beurre humide. Coupez doucement des tranches de ½ pouce d'épaisseur du caillé à l'aide d'une louche ou d'une écumoire et versez doucement les tranches dans la passoire. Mélangez doucement le caillé avec 1 cuillère à

café de sel, puis nouez la mousseline dans un sac égouttoir et suspendez-la pour laisser égoutter à température ambiante pendant 6 à 10 heures, jusqu'à ce que le lactosérum cesse de couler.

5. Plus le caillé s'écoule longtemps, plus le fromage fini sera sec. Alternativement, vous pouvez égoutter le caillé en le suspendant pendant 45 minutes, puis en déplaçant le sac dans un moule à camembert de 4 pouces sans fond, placé sur un égouttoir. Égoutter et faire mûrir dans le moule pendant 6 à 10 heures, en arrosant le caillé une fois pendant le processus d'égouttage et en saupoudrant la cuillère à café de sel restante sur la surface du fromage.

6. Si vous n'utilisez pas le moule pour la forme finale, transférez le sac sur une surface de travail propre et roulez le caillé en boule, puis serrez légèrement avec vos mains. Ouvrez le sac et saupoudrez la cuillère à café de sel restante sur le fromage et frottez-le légèrement sur la surface. Placez le fromage sur une grille égouttoir à température ambiante pendant 8 heures pour permettre au sel d'être absorbé dans le fromage et de libérer l'excès d'humidité. Continuez à sécher à l'air pendant 24 heures au total ou jusqu'à ce que la surface soit sèche.

7. Mélangez les herbes et les épices dans un petit bol. Assécher le fromage de toute humidité, puis frotter soigneusement avec l'huile d'olive. Étalez une couche du mélange d'herbes sur une feuille de papier sulfurisé ou ciré et roulez le fromage dans le mélange pour l'enrober, puis appuyez doucement sur les herbes pour qu'elles

collent à la surface du fromage. Réservez les herbes inutilisées.

8.　　Couvrir le fromage d'une pellicule plastique et le placer dans une boîte d'affinage à 50 ° F à 55 ° F et 80 à 85 pour cent d'humidité pendant 3 jours. Retirez la pellicule de plastique, enduisez-la de plus d'herbes si nécessaire et placez-la dans une boîte de maturation entre 50 ° F et 55 ° F pendant 27 jours de plus. Le fromage sera prêt à être consommé à ce stade ou peut être vieilli pendant un mois supplémentaire.

2. Fromage Jack sec enrobé de cacao

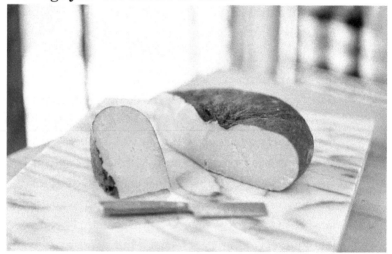

FAIT 2 livres

- 2 gallons de lait de vache entier pasteurisé
- 1 cuillère à café de culture starter mésophile en poudre MA 4001
- 1 cuillère à café de chlorure de calcium dilué dans ¼ tasse d'eau fraîche non chlorée

- 1 cuillère à café de présure liquide diluée dans ¼ tasse d'eau fraîche non chlorée
- Sel casher (de préférence de marque Diamond Crystal) ou sel au fromage
- 2 cuillères à soupe de cacao en poudre
- 2 cuillères à café d'espresso instantané
- 1½ cuillère à café de poivre noir moulu Vnely
- 4½ cuillères à café d'huile d'olive

1. Dans une marmite non réactive de 10 litres, chauffer le lait à feu doux à 86 ° F; cela devrait prendre environ 15 minutes. Éteindre la chaleur.

2. Saupoudrez le démarreur sur le lait et laissez-le se réhydrater pendant 5 minutes. Bien mélanger à l'aide d'un fouet dans un mouvement de haut en bas. Couvrir et maintenir 86 ° F, en laissant le lait mûrir pendant 1 heure. Ajouter le chlorure de calcium et fouetter doucement pendant 1 minute. Ajouter la présure et fouetter doucement pendant 1 minute. Couvrir et laisser reposer, en maintenant 86 ° F pendant 30 à 45minutes, ou jusqu'à ce que le caillé donne une pause nette.

3. Maintien toujours 86 °F, coupez le caillé en morceaux de ¾ de pouce et laissez reposer 5 minutes. À feu doux, porter lentement le caillé à 102 ° F en 40 minutes, en remuant continuellement pour empêcher le caillé de se mater. Le caillé libère du lactosérum, légèrement Xrm, et rétrécit à la taille des haricots secs. Maintenir 102 ° F et laisser reposer le caillé pendant 30 minutes; ils couleront au fond.

4. Versez suffisamment de lactosérum pour exposer le caillé. Tout en maintenant la température, remuez continuellement pendant 15 à 20 minutes, ou jusqu'à ce que le caillé soit emmêlé et adhère ensemble lorsqu'il est pressé dans votre main.

5. Placez une passoire sur un bol ou un seau assez grand pour capturer le lactosérum. Tapissez-le de mousseline de beurre humide et versez-y le cailléLaisser égoutter pendant 5 minutes, puis saupoudrer de 1 cuillère à soupe de sel et mélanger doucement et soigneusement avec vos mains.

6. Rassemblez les extrémités du tissu et tordez-les pour former une boule pour aider à évacuer l'excès d'humidité. Faites rouler la balle sur une surface Pat pour libérer plus de lactosérum. Attachez le haut du sac en tissu, appuyez dessus avec vos mainspour atténuer légèrement, et placez-le sur une planche à découper posée au-dessus d'un égouttoir. Placez une deuxième planche à découper sur le sac Iattened et placez un poids de 8 livres directement sur le fromage. Appuyez à 75 ° F à 85 ° F pendant 6 heures pour Jack humide ou 8 heures pour Jack plus sec.

7. Retirez le fromage du sac et séchez-le. Frottez avec 1 cuillère à soupe de sel et placez sur une grille égoutteuse pour sécher à l'air pendant 8 heures.

8. Faire 3 litres de saumure saturée (voir le tableau de la saumure) et refroidir à 50 ° F à 55 ° F. Placez le fromage dans la saumure et laissez tremper entre 50 ° F et 55 ° F pendant 8 heures, en le retournant une fois pendant ce

temps. Retirer de la saumure, sécher en tapotant et sécher à l'air sur une grille à température ambiante pendant des heures ou jusqu'à ce que la surface soit sèche au toucher. Retourner une fois pendant cette période de séchage.

9. Placez le fromage sur un tapis de fromage dans une boîte d'affinage à 50 ° F à 55 ° F et 85 pour cent d'humidité pendant 1 semaine, en gardant le fromage tous les jours pour un affinage uniforme.

10. Mélangez le cacao, l'espresso et le poivre dans un petit bol. Ajouter l'huile d'olive et mélanger pour combiner. Frottez un quart du mélange de cacao sur le fromage. Placez le fromage sur une grille pour que l'air circule tout autour,puis continuer à mûrir à 50 ° F à 55 ° F pendant la nuit. Répétez le processus de frottement et de séchage à l'air tous les jours pendant 3 jours de plus, puis faites mûrir le fromage à 60 ° F et 75% d'humidité pendant 2 mois, en basculant deux fois par semaine.

11. Envelopper dans du papier de fromage et réfrigérer jusqu'à ce que vous soyez prêt à manger - jusqu'à 10 mois ou, pour une saveur très riche et profonde, jusqu'à 2 ans, si vous pouvez attendre aussi longtemps! Une fois ouvert, le fromage séchera et durcira avec le temps, créant un merveilleux fromage à râper.

3. Chèvre à la brume de lavande

FAIT six disques de 4 onces

- 1 gallon de lait de chèvre pasteurisé
- ¼ cuillère à café de culture starter mésophile en poudre MA 4001
- 1 cuillère à café de chlorure de calcium dilué dans ¼ tasse d'eau fraîche non chlorée
- 1 cuillère à café de présure liquide diluée dans ¼ tasse d'eau fraîche non chlorée
- 1 cuillère à café de sel marin Vne
- ½ cuillère à café de poudre de pollen de fenouil

- ¼ cuillère à café de lavande moulue ou de bourgeons de lavande

1. Dans une marmite non réactive de 6 litres, chauffer le lait à feu doux à 86 ° F; cela devrait prendre environ 15 minutes. Éteignez le feu.

2. Saupoudrez le démarreur sur le lait et laissez-le se réhydrater pendant 5 minutes. Bien mélanger à l'aide d'un fouet dans un mouvement de haut en bas. Ajouter le chlorure de calcium et incorporer doucement au fouet, puis incorporer la présure au fouet de la même manière. Couvrir et maintenir 72 ° F, en laissant le lait mûrir pendant 12 heures, ou jusqu'à ce que le caillé ait formé une grande masse de consistance de yogourt épais et de petit-lait clairtourne autour des côtés du pot.

3. Placez une passoire sur un bol ou un seau assez grand pour capturer le lactosérum. Tapissez-le de mousseline de beurre humide et versez doucement le caillé dans la passoire. Ajouter ½ cuillère à café de sel et mélanger doucement pour combiner. Attachez les queues du chiffon pour faire un sac égouttoir et suspendez-le pour laisser égoutter à température ambiante pendant 6 à 12 heures.

4. Retirez le fromage du chiffon et façonnez-le en six disques ronds de 4 onces. Saupoudrez la ½ cuillère à café de sel restante sur la surface de chaque fromage et frottez-la légèrement sur la surface. Réglez les fromages sur une grille de séchage à température ambiante pendant 4

heures pour leur permettre d'absorber le sel et de libérer l'excès d'humidité.

5.   Mélangez le pollen de fenouil et la lavande dans un petit bol. Assécher les fromages, puis les déposer sur une feuille depapier sulfurisé ou ciré et saupoudrer tous les côtés avec le mélange d'herbes.

6. Placer les fromages sur une grille et laisser reposer à température ambiante pendant 1 heure, puis envelopper chaque fromage dans une pellicule plastique et réfrigérer pendant au moins 3 jours pour permettre aux saveurs du frottement d'infuser le fromage et jusqu'à 10 jours.

4. Montasio frotté au miel

FAIT 2 livres

- 1 gallon de lait de vache pasteurisé à teneur réduite en matières grasses (2 pour cent)
- 1 gallon de lait de chèvre pasteurisé
- 1 cuillère à café de culture starter thermophile en poudre Thermo C
- 1 cuillère à café de chlorure de calcium dilué dans ¼ tasse d'eau fraîche non chlorée
- 1 cuillère à café de présure liquide diluée dans ¼ tasse d'eau fraîche non chlorée

- 3 cuillères à café   ake sel de mer (ou sel de mer de l'Himalaya)
- Sel casher (de préférence de marque Diamond Crystal) ou sel de fromage pour le saumurage
- 3 cuillères à soupe de miel

1. Dans une casserole non réactive de 10 litres, chauffer les laits à feu doux à 90 ° F; cela devrait prendre environ 20 minutes. Éteignez le feu.
2. Saupoudrez le démarreur sur le lait et laissez-le se réhydrater pendant 5 minutes. Bien mélanger à l'aide d'un fouet dans un mouvement de haut en bas. Couvrir et maintenir 90 ° F, en laissant le lait mûrir pendant 45 minutes. Ajouter le chlorure de calcium et fouetter doucement pendant 1 minute. Ajouter la présure et fouetter doucement pendant 1 minute. Couvrir et laisser reposer, en maintenant 90 ° F pendant 30 à 45 minutes, ou jusqu'à ce que le caillé donne une pause nette.

3. Coupez le caillé en morceaux de ½ pouce et laissez reposer pendant 5 minutes. À feu doux, porter lentement le caillé à 104 ° F en 40 minutes, en remuant deux ou trois fois. Retirer du feu et remuer pendant 15 minutes pour libérer le lactosérum et réduire le caillé à la taille d'une cacahuète.
4. À feu doux, porter lentement la température à 112 ° F en 5 à 7 minutes, en remuant les caillés pour les faire monter. Une fois que 112 ° F est atteint, retirer du feu, maintenir la température et laisser reposer le caillé pendant 20 minutes; ils couleront au fond.

5.　　　Louche oG assez de lactosérum pour exposer le caillé. Placez une passoire sur un bol ou un seau assez grand pour capturer le lactosérum. Tapissez-le de mousseline de beurre humide et versez-y délicatement le caillé. Laisser égoutter pendant 10 minutes, puis saupoudrer 1½ cuillère à café de sel de mer sur le caillé et mélanger doucement mais soigneusement avec vos mains. Laisser égoutter encore 5 minutes.

6.　　　Tirez les extrémités de la mousseline ensemble pour former une boule et tordez pour aider à évacuer l'excès d'humidité. Placez le sac sur une planche à découper désinfectée, roulez-le en boule et nouez le dessus pour fixer le caillé en forme ronde. Placez les deux caillés emballés et une planche à découper sur une grille d'égouttage et appuyez sur le caillé avec vos mains pour les atténuer légèrement.

7.　Lissez le nœud et les liens du mieux que vous pouvez pour créer une surface stable sur laquelle une deuxième planche à découper pourra reposer. Placez la deuxième planche à découper sur le fromage; appuyez pour égaliser le paquet, puis couvrez complètement l'ensemble avec un torchon. Placer un poids de 8 livres sur le fromage et presser pendant 8 heures ou toute la nuit à 75 ° F à 85 ° F.

8.　　　Faire 2 litres de saumure presque saturée (voir le tableau de la saumure) et refroidir à 50 ° F à 55 ° F. Retirez le fromage du sac et placez-le dans la saumure pour qu'il trempe entre 50 ° F et 55 ° F pendant 12 heures, en le rongeant une fois pour la saumure uniformément. Retirez le fromage de la saumure et séchez-le, puis placez-le sur un tapis ou une grille à fromage pour qu'il sèche à l'air à température ambiante pendant des heures ou jusqu'à ce que la surface soit sèche au toucher. Retourner une fois pendant ce temps.

9. Placer dans une boîte de maturation à 50 ° F à 55 ° F et 85 pour cent d'humidité et de vieillissement pendant 1 semaine, en glissant tous les jours. Brossez ensuite avec une solution de saumure simple (voir le tableau de la saumure), refroidie à 50 ° F à 55 ° F, deux fois par semaine pendant 2 semaines.

10. Après 2 semaines, frottez le fromage avec 1½ cuillère à soupe de miel pour enrober, puis le remettre dans la boîte de maturation à 50 ° F à 55 ° F et 80 pour cent d'humidité pendant 1 semaine, en glissant quotidiennement. Le miel formera un Plm, empêchant le fromage de se dessécher.

11. Après 1 semaine de plus, frottez avec les 1½ cuillères à soupe de miel restantes, puis avec les 1½ cuillères à café restantes de sel.

12. Remettez le fromage dans la boîte d'affinage pendant 2 semaines supplémentaires, en le retournant tous les jours, puis scellez sous vide ou enveloppez-le hermétiquement dans une pellicule plastique pour protéger l'enrobage, et conservez-le au réfrigérateur pendant 1 mois à 1 an.

5. Rustico Foglie di Noce

a) Vous aurez besoin de 4 à 6 grandes feuilles de noix séchées, tiges, blanchies et épongées.

b) Pour imiter au mieux les robustes Wavors qui accompagnent l'utilisation du lait de brebis, une petite quantité de crème et un peu de poudre de lipase sont ajoutées aux laits de chèvre et de vache.

c) Préparez le fromage en utilisant la recette Montasio, en combinant 1 tasse de crème épaisse avec les laits. Après avoir ajouté la culture et avant d'ajouter le chlorure de calcium et la présure, ajoutez une pincée de poudre de lipase.

d) Suivez les instructions à travers la première étape de la maturation, avant de frotter avec du miel (à l'étape 7). Frottez le fromage avec de l'huile d'olive, puis saupoudrez de sel casher et frottez-le sur la surface. Bien que ce ne soit pas traditionnel, vous pouvez frotter le fromage avec de l'huile d'olive fumée en alternance avec de l'huile d'olive non aromatisée pour une saveur fumée. La meilleure huile d'olive fumée provient de l'Olive Fumée, www.thesmokedolive.com.

e) Badigeonner les feuilles de noix des deux côtés d'huile d'olive, puis enrouler suffisamment de feuilles autour du fromage pour le recouvrir complètement. Placer le fromage dans une boîte d'affinage à 50 ° F à 55 ° F et 75 pour cent d'humidité avec une bonne circulation d'air et vieillir pendant 3 mois, tremper tous les jours pendant la semaine de repos, puis deux fois par semaine par la suite.

f) Frottez le fromage tous les jours avec de l'huile d'olive. Consommez le fromage une fois qu'il a vieilli 3 mois, ou scellez-le sous vide ou emballez-le dans du plastique et conservez-le au réfrigérateur pendant un autre mois.

g) Lorsque vous êtes prêt à servir ces fromages, laissez les convives décoller les feuilles de leur portion de fromage.

6. Jeune Époisses

Ingrédients

- 500g de mélange à pain blanc
- 100g de morceaux de noix
- 140g d'abricots secs, tranchés
- 25g de graines de pavot grillées
- 400 ml de lait
- un peu d'huile, pour le graissage
- 1 œuf, battu
- 1-2 fromages à pâte molle dans des boîtes, comme le brie ou le camembert
- éclaboussure de vin blanc

Méthode

1. Versez le mélange de pain dans un robot culinaire, ajoutez les noix et fouettez jusqu'à ce qu'il soit complètement

incorporé. Transférer dans un bol et incorporer les abricots et la plupart des graines de pavot. Chauffez le lait à la température de la main, puis incorporez-le au mélange de farine avec une cuillère en bois. Pétrir dans le bol jusqu'à consistance lisse. Couvrir d'un film alimentaire huilé et laisser lever pendant 1 heure dans un endroit chaud.

2. Trouvez un plat résistant à la chaleur de la même taille ou un peu plus grand que votre boîte à fromage. Posez-le au milieu d'une grande plaque à pâtisserie.

3. Façonnez la pâte levée en une longue bûche mince qui s'enroulera autour du plat sur la feuille, comme une couronne. Presser les extrémités ensemble, couvrir légèrement d'un film alimentaire huilé et laisser lever pendant 20 à 30 minutes.

4. Chauffer le four à 180C / 160C ventilateur / gaz 4. Badigeonner l'œuf sur tout le pain, puis saupoudrer avec les graines de pavot restantes. À l'aide de ciseaux de cuisine, coupez au hasard dans la pâte pour donner une finition hérissée. Cuire au four pendant 35 à 40 minutes jusqu'à ce qu'il soit doré et croustillant, et que le fond sonne creux lorsque vous le tapotez. Retirez le plat du milieu.

5. Pour servir, déballez le fromage et remettez-le dans la boîte. Frappez plusieurs fois, ajoutez le vin et attachez de la ficelle de cuisine autour de la boîte pour la fixer au cas où la colle se défaire. Placez le fromage au milieu du pain,

sans son couvercle, et faites cuire au four pendant 10 à 15 minutes jusqu'à ce qu'il soit fondu. Servir tout de suite et, si vous le souhaitez, mettre un autre fromage au four afin de pouvoir terminer le pain lorsque la première boîte de fromage est essuyée.

FROMAGES BLOOMY-RIND ET AFFINÉS EN SURFACE

7. Crème fraîche brie

FAIT une roue de 10 à 12 onces ou deux roues de 5 à 6 onces

- Poudre de moisissure Penicillium candidum
- Sel casher (de préférence de marque Diamond Crystal) ou sel de mer
- 2 gallons de lait de vache entier pasteurisé
- 1 cuillère à café de culture de démarreur mésophile en poudre Meso II
- 1/8 cuillère à café de Geotrichum candidum

- 15 poudre de moule
- 1 cuillère à café de chlorure de calcium dilué dans ¼ tasse d'eau fraîche non chlorée
- ½ cuillère à café de présure liquide diluée dans ¼ tasse d'eau fraîche non chlorée
- 1½ tasse de crème fraîche de culture, maison ou du commerce, à température ambiante

1. Douze heures avant de commencer, mélanger une pincée de Penicillium candidum, ¼ cuillère à café de sel et 2 tasses d'eau fraîche non chlorée dans un atomiseur ou un vaporisateur. Conserver entre 50 ° F et 55 ° F.

2. Dans une marmite non réactive de 6 litres, chauffer lentement le lait à 86 ° F à feu doux; cela devrait prendre environ 15 minutes. Éteignez le feu.

3. Saupoudrer le démarreur, ⅛ cuillère à café de poudre de moisissure P. candidum et la poudre de moisissure Geotrichum candidum sur le lait et laisser réhydrater pendant 5 minutes. Bien mélanger à l'aide d'un fouet dans un mouvement de haut en bas pendant 20 coups. Couvrir et maintenir 86 ° F, en laissant le lait mûrir pendant 30 minutes. Ajouter le chlorure de calcium et fouetter doucement, puis ajouter la présure de la même manière. Couvrir et laisser reposer, en maintenant 86 ° F pendant 1 heure et demie, ou jusqu'à ce que le caillé donne une pause nette.

4. Couper le caillé en morceaux de ½ pouce et laisser reposer 5 minutes pour faire remonter le caillé. À l'aide

d'une spatule en caoutchouc, remuez doucement pendant 5 minutes sur les bords du pot pour déplacer le caillé. Laisser reposer le caillé pendant 5 minutes; ils couleront au fond.

5. Versez suffisamment de lactosérum pour exposer le caillé. Versez doucement le caillé dans une passoire tapissée de mousseline de beurre humide et laissez égoutter pendant 10 minutes, ou jusqu'à ce que le lactosérum cesse de couler.

6. Mettre la crème fraîche dans un bol et fouetter pour la ramollir. À l'aide d'une spatule en caoutchouc, incorporer délicatement la crème fraîche dans le caillé pour bien mélanger. Laisser égoutter pendant 10 minutes, jusqu'à ce que tout liquide résiduel se soit écoulé.

7. Placez une grille d'égouttage sur un plateau, placez une planche à découper sur la grille et un tapis de fromage sur la planche, et enfin, placez un moule à brie de 8 pouces ou deux moules à camembert de 4 pouces sur le tapis. Versez le caillé dans le ou les moules et laissez égoutter pendant 2 heures. Le caillé réduira à environ les deux tiers la hauteur du moule. Placez un deuxième tapis et une planche sur le dessus du moule. Avec une main tenant le panneau Hrmly contre le tapis et le moule, soulevez et hanchez doucement le panneau inférieur et le tapis avec le moule et remettez-le sur le support de drainage; la deuxième planche et le tapis seront maintenant sur le fond et le tapis et la planche d'origine seront sur le dessus.

8. Laisser égoutter pendant 2 heures, jusqu'à ce que le caillé soit réduit d'environ un tiers, puis ip à nouveau de la même manière et laisser égoutter pendant une nuit à température ambiante. Le caillé aura environ 1½ pouces de haut à ce stade.

9. Salez le dessus du fromage, glissez-le dessus, salez le deuxième côté et laissez égoutter encore 2 heures. La quantité de sel est difficile à déterminer, mais si vous imaginez bien saler un steak ou une tomate, c'est à peu près correct. Le caillé sera d'environ 1 pouce de haut à ce stade. Retirer le moule et vaporiser légèrement le fromage (pendant qu'il est sur la grille d'égouttage) avec la solution de P. candidum.

10. Placez le fromage sur un tapis de fromage propre dans une boîte d'affinage. Couvrir lâchement avec le couvercle et faire mûrir à 50 ° F à 55 ° F et 90 pour cent d'humidité. Une humidité élevée est essentielle pour la fabrication de ce fromage. Retournez le fromage tous les jours, en enlevant le lactosérum qui s'est accumulé dans la boîte d'affinage. Gardez la boîte couverte de manière lâche pour maintenir le niveau d'humidité.

11. Après 2 jours, vous pouvez à nouveau vaporiser légèrement les fromages avec une solution de moisissure pour aider à assurer une croissance adéquate des moisissures, si vous le souhaitez. Après environ 5 jours, les premiers signes de moisissure floue blanche apparaîtront. Retirez toute moisissure indésirable avec un

morceau de gaze trempé dans une solution de vinaigre-
sel.

12. Après 10 à 14 jours, les fromages seront entièrement
    enrobés de moisissure blanche. À ce stade, nettoyez la
    boîte d'affinage, enveloppez les fromages dans du papier à
    fromage et remettez-les dans la boîte d'affinage.

13. Le fromage commencera à ramollir en 1 semaine environ.
    Après un total de 4 semaines à compter du début de
    l'affinage (ou 3 semaines si vous utilisez des moules à
    camembert), déplacez les fromages emballés au
    réfrigérateur et conservez-les jusqu'à ce qu'ils aient atteint
    la maturité désirée: rm et doux, ou liquide et fort.

14. Le temps de vieillissement jusqu'à la maturité désirée
    variera en fonction du diamètre et de l'épaisseur du
    fromage: si un moule à Brie a été utilisé, comptez sur 4 à
    7 semaines au total; si 2 moules Camembert, comptez sur
    3 à 6 semaines au total.

8. Brie à l'américaine

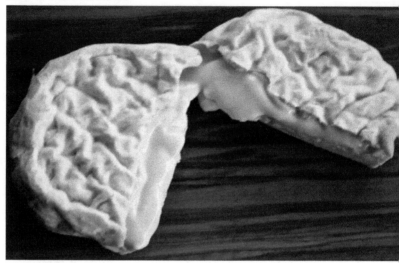

FAIT 2 livres

- 2 gallons de lait de vache entier pasteurisé
- ½ tasse de crème épaisse pasteurisée
- Pincée de culture starter mésophile en poudre MA 4001
- 1 cuillère à café de culture starter thermophile en poudre Thermo B
- 1 cuillère à café de poudre de moisissure Penicillium candidum
- 1 cuillère à café de poudre de moisissure Geotrichum candidum 15
- 1 cuillère à café de chlorure de calcium dilué dans ¼ tasse d'eau fraîche non chlorée

- 1 cuillère à café de présure liquide diluée dans ¼ tasse d'eau fraîche non chlorée

- Sel casher (de préférence de marque Diamond Crystal) ou sel au fromage

1. Chauffer le lait et la crème dans une marmite de 10 litres dans un bain-marie à 102 ° F à feu doux. Porter le lait à 90 ° F pendant 10 minutes.

2. Laisser le feu et saupoudrer les cultures starter et les poudres de moisissure sur le lait et laisser réhydrater pendant 5 minutes. Bien mélanger à l'aide d'un fouet dans un mouvement de haut en bas pendant 20 coups. Laisser la température du lait augmenter de 96 ° F à 98 ° F. Éteignez le feu, couvrez et laissez reposer le lait au bain-marie pendant 1h30. Ajouter le chlorure de calcium et fouetter doucement, puis ajouter la présure de la même manière. Laisser reposer, couvert, pendant 30 minutes, ou jusqu'à ce que le caillé donne une pause nette.

3. Coupez le caillé en morceaux de ¾ de pouce et laissez reposer 5 minutes. Remuer le caillé pendant 10 à 15 minutes,puis laissez-les reposer pendant 5 minutes. Louche o   assez de lactosérum pour exposer le caillé.

4. Placez une grille d'égouttage sur un plateau, placez un moule à brie de 8 pouces (avec un fond) dessus et placez la grille dans une boîte de maturation. Versez doucement le caillé dans le moule et laissez-le égoutter pendant 1 heure, en soulevant périodiquement le moule et en versant le lactosérum hors du plateau.

5.	Après 1 heure, doucement Déchirez le fromage du moule dans votre main, retournez-le et remettez-le dans le moule. Cela uniformise le drainage et lisse la surface des deux côtés. Retournez le fromage toutes les heures pendant que vous continuez à égoutter et jetez le lactosérum. Peu à peu, il ne restera que quelques onces de lactosérum à égoutter. Lorsqu'il n'y a plus de lactosérum, après quatre ou ve ips, placez un couvercle en aluminium ou un couvercle sur la boîte de maturation, ventilée à deux endroits, et gardez la boîte à température ambiante pendant 8 heures.

6.	Drainer oD le dernier du lactosérum et démouler le fromage sur une natte. Salez le dessus du fromage, glissez-le dessus et salez le deuxième côté. La quantité de sel est difficile à déterminer, mais si vous imaginez bien saler un steak ou une tomate, c'est à peu près correct. Le salage des bords est facultatif.

7.	La phase de floraison de la maturation commence maintenant et est mieux effectuée entre 52 ° F et 56 ° F. Placez le couvercle de la boîte de maturation de travers ou couvrez les deux tiers du milieucasserole avec du papier d'aluminium, en la laissant ouverte aux deux extrémités pour la circulation de l'air. En 3 à 4 jours, le fromage fleurira et de la moisissure blanche se formera sur la surface. Retournez la roue pour fleurir de l'autre côté. La deuxième floraison sera terminée dans seulement 1 ou 2 jours de plus.

8.   En utilisant du papier à fromage, enroulez la roue en fermant les bords gênants avec du ruban adhésif. Déplacez la meule vers un plateau propre et une boîte de maturation avec un couvercle fermé. Placez 2 serviettes en papier humides ou rembourrées aux coins opposés de la boîte pour maintenir l'humidité à environ 85 pour cent. Déplacez cette boîte dans votre réfrigérateur (réglé à environ 38 ° F). Humidifiez les serviettes au besoin et retournez la roue une ou deux fois pendant le temps de maturation.

9.   La roue devrait être prête à servir après 5 à 6 semaines. Vous pouvez vérifier en découpant un petit coin de ¼ de pouce. lele fromage doit être mou et commencer à suinter de la croûte, et il doit avoir un goût et une odeur doux (le vieux Brie aura un goût très acidulé et une odeur d'ammoniaque).

10. Appuyez sur un petit morceau de papier ciré dans la section coupée avant de réemballer. Le fromage se conserve 6 à 8 semaines au réfrigérateur.

9. Bucheron

FAIT deux bûches de 8 onces

- Poudre de moisissure Penicillium candidum
- 1 cuillères à café de sel marin Vne
- 1 gallon de lait de chèvre pasteurisé
- 1 cuillère à café de culture starter mésophile en poudre Aroma B
- Pincée de poudre de moisissure Geotrichum candidum 15
- 1 cuillère à café de chlorure de calcium dilué dans ¼ tasse d'eau fraîche non chlorée

- 1 cuillère à café de présure liquide diluée dans ¼ tasse d'eau fraîche non chlorée

1. Douze heures avant de commencer, mélanger une pincée de P. candidum, ¼ cuillère à café de sel et 2 tasses d'eau fraîche non chlorée dans un atomiseur ou un vaporisateur. Conserver entre 50 ° F et 55 ° F.

2. Dans une marmite non réactive de 6 pintes, chauffer le lait à feu doux à 72 ° F; cela devrait prendre environ 10 minutes. Éteignez le feu.

3. Saupoudrer le démarreur, ⅛ cuillère à café de poudre de moisissure P. candidum et la poudre de moisissure Geotrichum candidum sur le lait et laisser réhydrater pendant 5 minutes. Bien mélanger à l'aide d'un fouet dans un mouvement de haut en bas pendant 20 coups. Ajouter le chlorure de calcium et fouetter doucement pendant 1 minute, puis ajouter la présure de la même manière. Couvrir et laisser reposer, en maintenant 72 ° F, pendant 18 heures, ou jusqu'à ce que le caillé soitune masse rm et du lactosérum est oating sur le dessus.

4. Placez une grille d'égouttage sur un plateau. 2 moules cylindriques Saint-Maure ou bûche à l'intérieur 2moules ronds à côtés droits et les placer sur la grille.

5. Coupez doucement des tranches de caillé de ½ pouce d'épaisseur à l'aide d'une louche ou d'une écumoire et versez doucement les tranches dans les moules cylindriques pour remplir. Laisser égoutter jusqu'à ce que

plus de caillé puisse être ajouté aux moules. Ne soyez pas tenté d'ajouter un autre moule; le caillé se comprime au fur et à mesure que le lactosérum s'écoule, laissant de la place pour tout le caillé.

6.   Lorsque tous les caillés ont été mis à la louche dans les moules, couvrez-les d'un torchon propre et laissez égoutter les fromages pendant 24 heures à température ambiante. Retirez le lactosérum recueilli plusieurs fois pendant la vidange, en essuyant le plateau avec une serviette en papier à chaque fois.

7. Au bout de 6 heures, ou lorsque les fromages sont suffisamment fermes pour être manipulés, retournez doucement les moules sur votre paume pour déposer les fromages dans leurs moules. Faites-le encore quelques fois pendant les 24 heures pour aider à la formation uniforme des fromages et au développement des bactéries. Au bout de 24 heures, le caillé sera réduit à environ la moitié de la hauteur des moules.

8.   Une fois que les fromages ont cessé de s'égoutter et que le caillé s'est comprimé en dessous de la moitié du moule, placez un tapis dans une caisse d'affinage. Retirez les fromages des moules et saupoudrez ¾ cuillère à café de sel sur toute la surface de chaque fromage.

9.   Réglez les fromages à au moins 1 pouce l'un de l'autre sur le tapis dans la boîte d'affinage et attendez 10 minutes pour que le sel se dissolve, puis vaporisez légèrement avec la solution de P. candidum. Essuyez toute trace

d'humidité sur les parois de la boîte. Couvrir la boîte sans serrer avec le couvercle et laisser reposer à température ambiante pendant 24 heures.

10.   Égouttez le lactosérum et essuyez toute humidité de la boîte, puis faites mûrir le fromage entre 50 ° F et 55 ° F et 90% d'humidité pendant 2 semaines. Pour les premiers jours, ajustez le couvercleêtre légèrement ouvert pendant une partie de chaque jour pour maintenir le niveau d'humidité souhaité.

11. Trop d'humidité créera une surface trop humide. La surface du fromage doit paraître humide mais pas mouillée. Chaque jour, essuyez toute humidité qui pourrait s'être accumulée dans la boîte de maturation. Tout au long de la période d'affinage, tournez les fromages d'un quart de tour par jour pour conserver leur forme de bûche.

12. Après 2 jours, vaporisez très légèrement avec la solution de moisissure. Après environ 5 jours, les premiers signes de moisissure floue blanche apparaîtront. Après 10 à 14 jours, les fromages seront entièrement enrobés de moisissure blanche. Retirez toute moisissure indésirable à l'aide d'un morceau d'étamine trempé dans une solution de vinaigre-sel.

13.   Nettoyez et séchez la boîte d'affinage, enveloppez les fromages dans du papier à fromage et remettez-les dans la boîte d'affinage. Les fromages commenceront à ramollir en 1 semaine environ.

14. Après un total de 4 semaines à compter du début de la maturation, envelopper dans une pellicule plastique et conserver au réfrigérateur. Il est préférable de consommer ce fromage lorsqu'il a atteint la maturité souhaitée, entre 4 semaines et 5 semaines.

10. Camembert

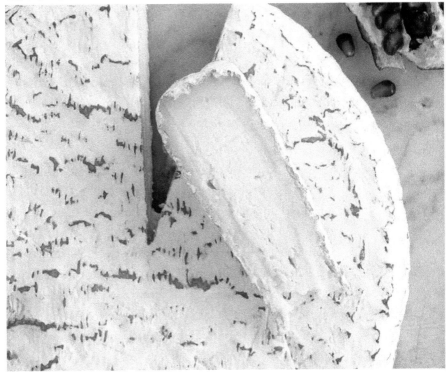

FAIT 1 livre

- 3 litres de lait de vache entier pasteurisé
- 1 cuillère à café de culture starter mésophile en poudre MM 100
- ⅛ cuillère à café de poudre de moisissure Penicillium candidum
- 1 cuillère à café de chlorure de calcium dilué dans ¼ tasse d'eau fraîche non chlorée
- 1 cuillère à café de présure liquide diluée dans ¼ tasse d'eau fraîche non chlorée

- 5 cuillères à soupe de sel casher (de préférence de marque Diamond Crystal) ou de sel au fromage

1. Dans une marmite non réactive de 6 pintes, chauffer le lait à feu doux à 90 ° F; cela devrait prendre environ 20 minutes. Éteignez le feu.

2. Saupoudrer le démarreur et la poudre de moule sur le lait et laisser réhydrater pendant 5 minutes. Bien mélanger à l'aide d'un fouet dans un mouvement de haut en bas.

3. Couvrir et maintenir 90 ° F, en laissant le lait mûrir pendant 1 heure et demie. Ajouter le chlorure de calcium et fouetter doucement, puis ajouter la présure de la même manière. Couvrir et laisser reposer, en maintenant 90 ° F, jusqu'à ce que le caillé donne une pause nette.

4. Couper le caillé en morceaux de ¼ à ½ pouce et laisser reposer 5 minutes. Remuez doucement avec une spatule en caoutchouc pour éviter que le caillé ne se moque, puis versez à la louche un tiers du lactosérum. Ajouter le sel et remuer doucement pour incorporer.

5. Versez le caillé dans un moule à camembert de 4 pouces placé sur une grille d'égouttage au-dessus d'un plateau. Laisser égoutter à température ambiante jusqu'à ce que le fromage soit suffisamment rm pour cuire, environ 2 heures. Retournez le fromage toutes les heures pendant 5 heures ou jusqu'à ce qu'il cesse de s'écouler.

11. Coulommiers

FAIT quatre fromages de 5 onces

- Poudre de moisissure Penicillium candidum
- 3½ cuillères à café de sel de mer casher ou Vne Nake
- 2 gallons de lait de vache entier pasteurisé
- 1 cuillère à café de culture starter mésophile en poudre MA 4001
- 1 cuillère à café de chlorure de calcium dilué dans ¼ tasse d'eau fraîche non chlorée
- 1 cuillère à café de présure liquide diluée dans ¼ tasse d'eau fraîche non chlorée

1. Douze heures avant de commencer, mélanger une pincée de P. candidum, ½ cuillère à café de sel et 1 litre d'eau

non chlorée dans un atomiseur ou un vaporisateur. Conserver entre 50 ° F et 55 ° F.

2. Dans une marmite non réactive de 10 litres, chauffer le lait à feu doux à 90 ° F; cela devrait prendre environ 20 minutes. Éteignez le feu.

3. Saupoudrer le démarreur et ⅛ cuillère à café de poudre de moisissure P. candidum sur le lait et laisser réhydrater pendant 5 minutes. Bien mélanger à l'aide d'un fouet dans un mouvement de haut en bas. Ajouter le chlorure de calcium et fouetter doucement, puis ajouter la présure de la même manière. Couvrir et laisser reposer, en maintenant 90 ° F pendant 1 heure et demie, ou jusqu'à ce que le caillé donne une pause nette.

4. Coupez le caillé en tranches de ½ pouce d'épaisseur et laissez reposer pendant 5 minutes pour réduire le caillé. À l'aide d'une spatule en caoutchouc, remuez doucement sur les bords du pot pendant 5 minutes pour rétrécir légèrement les caillés et les empêcher de se mater.

5. Placez un égouttoir sur un plateau, placez une planche à découper sur la grille et un tapis de fromage sur la planche, et enfin, placez quatre moules à camembert de 4 pouces sur le tapis. À l'aide d'une écumoire, versez doucement les tranches de caillé dans les moules. Remplissez les moules jusqu'en haut, puis continuez à ajouter des tranches au fur et à mesure que le caillé s'égoutte.

6. Lorsque tous les caillés ont été transférés dans les moules, couvrez les moules avec un torchon propre et laissez égoutter à température ambiante pendant 5 à 6 heures, ou jusqu'à ce que les caillés aient réduit à presque la moitié de la hauteur des moules. Jetez le lactosérum périodiquement.

7. Placez un deuxième tapis et une planche à découper sur le dessus des moules. Avec une main tenant le panneau supérieur Wrmly contre le tapis et les moules, soulevez et glissez doucement sur le panneau inférieur et le tapis avec les moules et remettez-le sur le support de drainage; la deuxième planche et le tapis seront maintenant sur le fond et le tapis et la planche d'origine seront sur le dessus.

8. Laisser égoutter pendant 6 heures, jusqu'à ce que le caillé atteigne environ 1½ à 2 pouces de hauteur, puis Gip à nouveau et laisser égoutter encore 3 heures. Arrêtez de boire une fois que les fromages cessent de s'égoutter; ils doivent être bien drainés et orm au toucher.

9. Retirez les moules et saupoudrez environ 1½ cuillère à café de sel sur le dessus et les côtés des fromages. Laisser reposer 10 minutes en laissant le sel se dissoudre. Placez les fromages côté sel vers le bas sur un tapis de fromage propre dans une boîte de maturation et salez les autres côtés, à nouveau en utilisant environ 1½ cuillère à café. Couvrir la boîte avec le couvercle légèrement ouvert pour un peu de circulation d'air et faire mûrir les fromages à 50 ° F à 55 ° F et 90 pour cent d'humidité. Une humidité élevée est essentielle pour la fabrication de ce fromage.

10. Retournez les fromages tous les jours, en éliminant tout lactosérum et toute humidité qui pourraient s'être accumulés dans la boîte de maturation, car l'humidité empêchera le développement approprié de la moisissure blanche. Une fois que l'humidité ne s'accumule plus dans la boîte, couvrez-la hermétiquement.

11. Après 2 jours, vaporisez légèrement avec la solution de moule. Après environ 5 jours, les premiers signes de moisissure floue blanche apparaîtront. Après 10 à 14 jours, les fromages seront entièrement enrobés de moisissure blanche. Retirez toute moisissure indésirable à l'aide d'un morceau d'étamine trempé dans une solution de vinaigre-sel.

12. Nettoyez la caisse d'affinage, enveloppez les fromages dans du papier à fromage et remettez-les dans la caisse d'affinage. Le fromage commencera à ramollir en 1 semaine environ. Il est prêt à manger lorsque le centre est doux au toucher; cela peut prendre 1 à 2 semaines ou un peu plus. Conserver au réfrigérateur jusqu'à ce qu'ils atteignent la maturité désirée.

12. Cabra masqué escarpé

FAIT dix fromages de 3 onces

- Poudre de moisissure Penicillium candidum
- 4¼ cuillères à café de sel marin Vne
- 1 gallon de lait de chèvre pasteurisé
- 1 cuillère à café de culture de démarreur mésophile en poudre Aroma B Pincée de poudre de moisissure Geotrichum candidum 15
- 1 cuillère à café de chlorure de calcium dilué dans ¼ tasse d'eau fraîche non chlorée
- 1 cuillère à café de présure liquide diluée dans ¼ tasse d'eau fraîche non chlorée
- 2 cuillères à soupe de cendre végétale

1. Douze heures avant de commencer, mélanger une pincée de P. candidum, ¼ cuillère à café de sel et 2 tasses d'eau fraîche non chlorée dans un atomiseur ou un vaporisateur. Conserver entre 50 ° F et 55 ° F.

2. Dans une marmite non réactive de 6 pintes, chauffer le lait à feu doux à 72 ° F; cela devrait prendre environ 10 minutes. Éteignez le feu.

3. Saupoudrer le démarreur, ⅛ cuillère à café de P. candidum et la poudre de moisissure Geotrichum candidum sur le lait et laisser réhydrater pendant 5 minutes. Bien mélanger à l'aide d'un fouet dans un mouvement de haut en bas pendant 20 coups. Couvrir et maintenir 72 ° F, en laissant le lait mûrir pendant 30 minutes. Ajouter le chlorure de calcium et fouetter doucement pendant 1 minute, puis ajouter la présure de la même manière. Couvrir et laisser reposer, en maintenant 72 ° F pendant 8 à 10 heures, ou jusqu'à ce que le caillé donne une pause nette.

4. Coupez le caillé en morceaux de ½ pouce et laissez reposer 5 minutes. Remuez doucement pendant 10 minutes avec une spatule en caoutchouc, puis versez le caillé dans une passoire tapissée de mousseline de beurre humide et laissez égoutter pendant 30 minutes. Saupoudrer dans 1 cuillère à soupe de sel et mélanger doucement avec vos mains pour incorporer,puis faites un sac égouttoir de la mousseline et laissez égoutter pendant 4 heures, ou jusqu'à ce que le petit-lait cesse de couler.

5.   À l'aide d'une balance, divisez le caillé égoutté en 10 morceaux; chacun devrait peser environ 3½ onces. Formez légèrement et roulez dansboules, puis placez les fromages à au moins 1 pouce l'un de l'autre sur un tapis placé dans une boîte d'affinage. Couvrir la boîte sans serrer avec le couvercle et laisser reposer à température ambiante pendant 8 heures.

6.   Égouttez le lactosérum et essuyez toute humidité de la boîte, puis faites mûrir le fromage entre 50 ° F et 55 ° F et 85% d'humidité pendant 2 jours. Ajustez le couvercle pour qu'il soit légèrement ouvert pendant une partie de chaque jour afin de maintenir le niveau d'humidité souhaité. La surface du fromage doit paraître humide mais pas mouillée.

7.   Dans un petit bol ou un bocal, mélanger les cendres de légumes avec 1 cuillère à café de sel restante. Porter des jetablesgants, utilisez une passoire en Vne pour saupoudrer les fromages avec les cendres végétales, en les enrobant complètement. Tapotez doucement les cendres sur la surface des fromages. Placez les fromages saupoudrés sur un tapis de fromage propre dans une boîte de maturation sèche. Faire mûrir à 50 ° F à 55 ° F et 85 pour cent d'humidité, en retournant les fromages tous les jours pour maintenir la forme ronde.

8.   Deux jours après avoir cendré les fromages, vaporisez-les très légèrement avec la solution de moisissure. Fixez le couvercle sur la boîte de maturation. Après environ 5 jours, les premiers signes de moisissure

blanche duveteuse apparaîtront à travers les cendres. Après 10 à 14 jours, les fromages seront entièrement enrobés de moisissure blanche. La surface ridée commencera également à se développer dans les 10 jours.

9.   À 2 semaines, nettoyez et séchez la caisse d'affinage, enveloppez les fromages dans du papier à fromage et remettez-les dans la caisse d'affinage. Les fromages commenceront à ramollir en 1 semaine environ. Après un total de 3 semaines à compter du début de la maturation, conserverles au réfrigérateur. Il est préférable de consommer ces fromages lorsqu'ils ont atteint la maturité souhaitée, environ 3 à 4 semaines après le début de l'affinage.

13. Crottin

FAIT quatre fromages de 3½ onces

- 1 gallon de lait de chèvre pasteurisé

- 1 cuillère à café de culture de démarreur mésophile en poudre Meso I ou Aroma B Pincée de poudre de moisissure Penicillium candidum
- Pincée de poudre de moisissure Geotrichum candidum 15
- 1 cuillère à café de chlorure de calcium dilué dans ¼ tasse d'eau fraîche non chlorée
- 1 cuillère à café de présure liquide diluée dans ¼ tasse d'eau fraîche non chlorée
- 1 cuillère à soupe de sel de mer Hne

1. Laissez le lait reposer à température ambiante pendant 1 heure. Dans une marmite non réactive de 6 pintes, chauffer le lait à feu doux à 72 ° F; cela devrait prendre environ 10 minutes. Touro la chaleur.

2. Saupoudrer le démarreur et les poudres de moule sur le lait et laisser réhydrater pendant 5 minutes. Bien mélanger à l'aide d'un fouet dans un mouvement de haut en bas. Ajouter le chlorure de calcium et fouetter doucement pendant 1 minute, puis ajouter la présure de la même manière. Couvrir et maintenir 72 ° F, en laissant le lait mûrir pendant 18heures, ou jusqu'à ce que le caillé forme une masse solide.

3. Placer 4 moules à crottin sur une grille d'égouttage placée au-dessus d'un plateau. Coupez doucement des tranches de ½ pouce d'épaisseur de caillé à l'aide d'une louche ou d'une écumoire et versez doucement les tranches de caillé dans les moulessonner. Égoutter jusqu'à ce que plus de caillé puisse être ajouté aux moules. Ne soyez pas tenté d'ajouter un autre moule; le caillé se

comprime au fur et à mesure que le lactosérum s'écoule, laissant de la place pour tout le caillé.

4.   Lorsque tous les caillés ont été mis à la louche dans les moules, recouvrez-les d'un torchon propre et laissez le les fromages égouttent à température ambiante. Retirez le lactosérum recueilli plusieurs fois pendant la vidange, en essuyant le plateau avec une serviette en papier à chaque fois.

5.   Après 12 heures, ou lorsque les fromages sont suffisamment solides pour être manipulés, retournez délicatement les moules sur votre paume pour déposer les fromages dans leurs moules. Faites cela trois fois de plus au cours des 36 prochaines heures pour aider à la formation uniforme des fromages et au développement des bactéries. Après 48 heures, le caillé sera réduit à environ la moitié de la hauteur du moule.

6.   Une fois que les fromages ont cessé de s'égoutter et que le caillé s'est comprimé en dessous de la moitié du moule, placez un tapis dans une caisse d'affinage. Retirer les fromages des moules et saupoudrer le sel sur le dessus et le dessous des fromages. Placez-les à au moins 1 pouce de distance sur le tapis dans la boîte de maturation et laissez le sel se dissoudre pendant 10 minutes. Essuyez toute trace d'humidité sur les parois de la boîte.

7.   Couvrir la boîte sans serrer avec le couvercle et laisser reposer à température ambiante pendant 8 heures. Égouttez le lactosérum et essuyez toute humidité de la boîte, puis affinez les fromages à 50 ° F

8. à 55 ° F et 90 pour cent d'humidité, Hipping les fromages tous les jours. Pour les premiers jours, ajustez le couvercle pour qu'il soit légèrement ouvert pendant une partie de chaque jour afin de maintenir le niveau d'humidité souhaité. Trop d'humidité créera une surface trop humide. La surface des fromages doit paraître humide mais pas mouillée.

9. Après environ 5 jours, les premiers signes de moisissure floue blanche apparaîtront. Après 10 à 14 jours, les fromages seront entièrement enrobés de moisissure blanche. Nettoyez et séchez la boîte d'affinage, enveloppez les fromages dans du papier à fromage et remettez-les dans la boîte d'affinage.

10. Les fromages commenceront à ramollir en 1 semaine environ. Après un total de 3 semaines à compter du début de l'affinage, envelopper les fromages dans du papier de fromage frais et conserver au réfrigérateur. Il est préférable de consommer ces fromages lorsqu'ils ont atteint la maturité souhaitée, entre 3 et 4 semaines après le début de l'affinage.

14. Fromage à l'Huile

FAIT quatre disques crottin de 6 onces

- 2 gallons de lait de chèvre pasteurisé
- 1 cuillère à café de culture starter mésophile en poudre MM 100 ou MA 011 Pincée de levure Choozit CUM
- Pincée de poudre de moisissure Penicillium candidum Pincée de poudre de moisissure Geotrichum candidum 17
- ¼ cuillère à café de chlorure de calcium dilué dans ½ tasse d'eau fraîche non chlorée ¼ cuillère à café de présure liquide diluée dans ½ tasse d'eau fraîche non chlorée
- 2 cuillères à café de sel casher (de préférence de marque Diamond Crystal) ou de sel au fromage

1. Dans une marmite non réactive de 10 litres, chauffer le lait à feu moyen à 75 ° F; cela devrait prendre environ 12 minutes. Éteignez le chauffage.

2. Saupoudrer le levain, la levure et les poudres de moisissure sur le lait et laisser réhydrater pendant 5 minutes. Bien mélanger à l'aide d'un fouet dans un mouvement de haut en bas.

3. Couvrir et maintenir 75 ° F, en laissant le lait mûrir pendant 25 minutes. Incorporez doucement le chlorure de calcium pendant 1 minute, puis ajoutez la présure de la même manière.

4. Couvrir et laisser reposer, en maintenant 75 ° F pendant 15 à 20 heures, jusqu'à ce que le pH du lactosérum soit inférieur à 4,6 mais pas inférieur à 4,4. À ce stade, le caillé se sera séparé des côtés de la cuve et il y aura des fissures dans le corps du caillé et une couche de ½ pouce de petit-lait sur le dessus du caillé.

5. Placez une grille d'égouttage sur un plateau et placez 4 moules à crottin sur la grille. Le caillé peut être mis à la louche dans de grandes cuillères et égoutté dans une étamine humide pendant 10 à 15 heures, puis emballé dans les moules à crottin ou doucement versé à la louche dans de petites cuillères directement dans les moules. Dans tous les cas, une fois les caillés dans les moules, laissez-les égoutter pendant 15 à 36 heures à température ambiante.

6.   Saupoudrer ¼ cuillère à café de sel casher sur le dessus de chaque fromage dans son moule. Après environ 10 heures d'égouttage, le caillé sera solide et conservera sa forme.

7.   Après 12 heures de temps d'égouttage total, démouler les fromages, les épépiner et les remettre dans les moules et la grille pour égoutter davantage. Saupoudrer un autre ¼ cuillère à café de sel sur le dessus de chaque fromage dans son moule.

8.   Démouler les fromages et les mettre sur un tapis de fromage pour qu'ils sèchent à l'air entre 60 ° F et 65 ° F. Retournez les fromages le lendemain, puis laissez-les reposer jusqu'à ce qu'il y ait une croissance visible de moisissure sur la surface; cela devrait prendre 3 à 5 jours.

9.   Lorsqu'il y a de la croissance, déposez les fromages et déplacez-les dans un endroit plus humide et plus froid, dans une boîte d'affinage entre 45 ° F et 48 ° F et 90% d'humidité. Retourner les fromages tous les jours jusqu'à ce qu'ils soient complètement recouverts de moisissure blanche; cela devrait se produire dans les 10 jours.

10. Au total 2 semaines après le début de l'affinage, envelopper les fromages dans du papier à fromage et conserver au réfrigérateur.

11. Il est préférable de consommer ces fromages lorsqu'ils ont atteint la maturité souhaitée, entre 2 et 3 semaines à compter du début de l'affinage, ou plus longtemps pour une saveur plus forte.

15. Camembert aux champignons

FAIT deux fromages de 8 onces

- Poudre de moisissure Penicillium candidum
- 4½ cuillères à café de sel casher (de préférence de marque Diamond Crystal), de sel au fromage ou de sel de mer Lne Pake
- 1 once de champignons shiitake séchés tranchés 1 gallon de lait de vache entier pasteurisé
- ¼ cuillère à café MM 100 poudre de culture mésophile starter Pincée de Geotrichum candidum 15 moisissure en poudre
- ¼ cuillère à café de chlorure de calcium dilué dans ¼ tasse d'eau fraîche non chlorée ¼ cuillère à café de présure liquide diluée dans ¼ tasse d'eau fraîche non chlorée
1. Douze heures avant de commencer, mélanger une pincée de P. candidum, ½ cuillère à café de sel et 1 litre d'eau

froide non chlorée dans un atomiseur ou un vaporisateur. Conserver entre 50 ° F et 55 ° F.

2.   Dans une marmite non réactive de 6 litres, incorporer les champignons au lait, puis chauffer à feu doux entre 110 ° F et 112 ° F. Éteignez le feu et maintenez la température pendant 55 minutes. Filtrer le lait à travers une passoire en ne-mesh, en appuyant sur les champignons pour faire sortir tout liquide. Jeter les champignons.

3.   Laisser refroidir le lait à 90 ° F, puis saupoudrer le démarreur, ⅛ cuillère à café de poudre de moisissure P. candidum et la poudre de moisissure Geotrichum candidum sur le lait et laisser réhydrater pendant 5 minutes. Bien mélanger à l'aide d'un fouet dans un mouvement de haut en bas. Ajouter le chlorure de calcium et fouetter doucement, puis ajouter la présure de la même manière. Couvrir et laisser reposer, en maintenant une température de 85 ° F pendant 1 heure et demie, ou jusqu'à ce que le caillé donne une pause nette.

4.   4. Coupez le caillé en morceaux de ½ pouce et laissez reposer pendant 5 minutes. À l'aide d'une spatule en caoutchouc, remuez doucement sur les bords du pot pendant 5 minutes pour rétrécir les caillés et les empêcher de se mater. Laisser reposer le caillé pendant 5 minutes; ils couleront au fond.

5.   Placez une grille d'égouttage sur un plateau, placez une planche à découper sur la grille et un tapis de

fromage sur la planche, et enfin, placez les deux moules à camembert de 4 pouces sur le tapis. Louchez une partie du lactosérum et, à l'aide d'une écumoire, versez doucement le caillé dans les moules. Laisser égoutter pendant 2 heures, jusqu'à ce que le caillé soit réduit à environ la moitié de la hauteur des moules.

6. Placez un deuxième tapis et une planche à découper sur le dessus des moules. D'une main tenant fermement le panneau supérieur contre le tapis et les moules, soulevez et agrippez doucement les moules et replacez-les sur le support de drainage.

7. Laissez égoutter pendant 2 heures, puis ip à nouveau. À ce stade, le caillé doit mesurer 1½ à 2 pouces de hauteur. Couvrir et laisser égoutter à température ambiante pendant 8 heures ou toute la nuit. Retourner les fromages et laisser égoutter encore 2 heures.

8. Retirez les moules et saupoudrez environ 2 cuillères à café de sel sur le dessus et les côtés des fromages. Laisser reposer 10 minutes en laissant le sel se dissoudre. À ce stade, vaporisez légèrement avec la solution de moule. Placez les fromages côté sel vers le bas sur un tapis propre dans une boîte de maturation et salez l'autre côté, en utilisant les 2 cuillères à café de sel restantes.

9. Couvrir la boîte avec le couvercle légèrement ouvert pour un peu de circulation d'air et faire mûrir les fromages à 50 ° F à 55 ° F et 90 pour cent d'humidité. Une humidité élevée est essentielle pour la fabrication de ce fromage. Retournez les fromages tous les jours, en éliminant le lactosérum et l'humidité qui se sont

accumulés dans la boîte d'affinage. Gardez couvert pour maintenir le niveau d'humidité.

10. Après environ 5 jours, les premiers signes de moisissure floue blanche apparaîtront. Continuez à emballer les fromages tous les jours.

11. Après 10 à 14 jours, les fromages seront entièrement enrobés de moisissure blanche. Enveloppez-les lâchement dans du papier à fromage et remettez-les dans la boîte d'affinage entre 50 ° F et 55 ° F et 85% d'humidité. Les fromages commenceront à ramollir en 1 semaine environ.

12. Au total 4 semaines après le début de l'affinage, passez les fromages au réfrigérateur jusqu'à ce qu'ils atteignent la maturité souhaitée, jusqu'à 6 semaines après le début de l'affinage.

16. Robiola fleurie

FAIT 2 livres

- Robiola
- 1 gallon de lait de vache entier pasteurisé
- 1 gallon de lait de chèvre pasteurisé
- 1 cuillère à café de culture starter mésophile en poudre MM 100
- 1 cuillère à café de poudre de moisissure Geotrichum candidum 15
- 1 cuillère à café de chlorure de calcium dilué dans ¼ tasse d'eau fraîche non chlorée 4 gouttes de présure diluée dans ¼ tasse d'eau non chlorée
- Sel casher (de préférence de la marque Diamond Crystal)

1. Dans une marmite non réactive de 10 litres, chauffer les laits à feu doux à 95 ° F; cela devrait prendre environ 25 minutes. Éteignez le feu.

2. Saupoudrer le levain et la poudre de moule sur les laits et laisser réhydrater pendant 5 minutes. Bien mélanger à l'aide d'un fouet dans un mouvement de haut en bas. Ajoutez le chlorure de calcium et fouettez doucement, puis ajoutez la présure de la même manière. Couvrir et laisser reposer, en maintenant 95 ° F pendant jusqu'à 18 heures, ou jusqu'à ce que le caillé donne une pause nette.

3. Placez un égouttoir sur un plateau, suivi d'un tapis de fromage. Placez 2 moules à camembert sur le tapis. À l'aide d'une écumoire, versez doucement le caillé dans les moules. Laisser égoutter à température ambiante pendant 8 à 10 heures, ou jusqu'à ce que le caillé soit compressé à 1½ à 2 pouces.

4. Saupoudrer ¼ cuillère à café de sel casher sur le dessus de chaque fromage dans son moule. Après 10 à 12 heures d'égouttage, les caillés seront rm et conserveront leur forme. Démouler les fromages, les emballer et les remettre sur la grille pour les égoutter davantage. Saupoudrer un autre ¼ cuillère à café de sel sur le dessus de chaque fromage.

5. Laisser égoutter les fromages pendant 2 heures, puis déposer les fromages sur un tapis de fromage propre dans une caisse d'affinage. Couvrir la boîte avec son couvercle et laisser mûrir à 77 ° F et 92 à 95 pour cent d'humidité.

Toutes les 8 heures, desserrez le couvercle pour permettre à l'air de circuler.

6. Après 30 à 48 heures (selon le moment où le lactosérum cesse de s'écouler), abaissez la température à 55 ° F et maintenez l'humidité entre 92 et 95 pour cent.

7. Après environ 5 jours, les signes d'une surface blanc crème apparaîtront. Continuez à piper les fromages tous les jours et retirez tout excès d'humidité de la boîte. Après 7 à 10 jours, les fromages auront une teinte de surface rosée. Après 3 à 4 semaines, de la moisissure bleue peut s'être formée à la surface.

8. À ce stade, le fromage sera très mûr et à peine contenu par sa fine croûte. Vous pouvez utiliser les fromages maintenant, les emballer et les conserver au réfrigérateur ou continuer à vieillir jusqu'à 3 mois.

17. Saint-Marcellin

FAIT quatre cartouches de 3 onces

- 3 litres de lait de vache entier pasteurisé
- 1 cuillère à café de culture de démarreur mésophile en poudre Meso II Pincée de poudre de moisissure Penicillium candidum
- Pincée de poudre de moisissure Geotrichum candidum 15
- ¼ cuillère à café de chlorure de calcium dilué dans ¼ tasse d'eau fraîche non chlorée 6 gouttes de présure liquide diluée dans ¼ tasse d'eau fraîche non chlorée
- 3 cuillères à café de sel casher (de préférence de marque Diamond Crystal) ou de sel au fromage

1. Dans une marmite non réactive de 4 litres, chauffer le lait à feu doux à 75 ° F; cela devrait prendre environ 12 minutes. Éteignez le feu.

2.   Saupoudrer les poudres de démarreur et de moule sur le lait et laisser réhydrater pendant 5 minutes. Bien mélanger à l'aide d'un fouet dans un mouvement de haut en bas. Ajouter le chlorure de calcium et fouetter doucement, puis ajouter la présure de la même manière. Couvrir et laisser reposer, en maintenant 72 ° F à 75 ° F pendant 12 heures.

3.   Coupez le caillé en tranches de ½ pouce à l'aide d'une louche ou d'une écumoire. À l'aide d'une spatule en caoutchouc, remuez doucement sur les bords du pot, puis laissez reposer le caillé pendant 5 minutes.

4.   Placer une grille égouttoir sur une lèchefrite, puis déposer 4 moules Saint-Marcellin sur la grille. Versez le caillé dans une passoire ou une passoire tapissée de mousseline de beurre humide et laissez égoutter pendant 15 minutes. Versez le caillé dans les moules jusqu'à leur sommet, puis laissez égoutter jusqu'à ce que plus de caillé puisse être ajouté aux moules.

5.   Ne soyez pas tenté d'ajouter un autre moule; le caillé se comprime au fur et à mesure que le lactosérum s'écoule. Le processus prendra environ 30 minutes. Égouttez le caillé à température ambiante. Au bout de 6 heures, mettez les fromages dans les moules et saupoudrez les dessus avec 1½ cuillère à café de sel. Laisser égoutter encore 6 heures, puis essuyer à nouveau les fromages dans les moules et saupoudrer les dessus avec les 1½ cuillères à café restantes de sel et égoutter pendant encore 6 heures.

6. Démouler les fromages et les déposer sur un tapis de fromages dans une caisse d'affinage. Couvrir la boîte sans serrer et laisser égoutter les fromages à température ambiante pendant 48 heures, en arrosant les fromages tous les jours et en retirant le lactosérum accumulé.

7.   Faire mûrir à 55 ° F et 90 pour cent d'humidité pendant 14 jours, ou jusqu'à ce qu'une moisissure blanche duveteuse se soit formée pour recouvrir le fromage, en faisant cuire les fromages tous les jours et en continuant à éliminer le lactosérum. Les fromages sont prêts à être consommés à ce stade, ou ils peuvent être vieillis davantage.

8.   Placez chaque disque dans un pot d'argile peu profond et couvrez d'une pellicule plastique ou du couvercle du pot. Si les pots ne sont pas utilisés, envelopper les fromages dans du papier de fromage ou une pellicule de plastique et conserver au réfrigérateur jusqu'à 6 semaines.

18. Valençay

Donne quatre fromages en forme de pyramide de 3 à 4 onces

- 1 gallon de lait de chèvre pasteurisé
- 1 cuillère à café de culture de démarrage mésophile en poudre Meso I ou Aroma B ⅛ cuillère à café de poudre de moisissure Penicillium candidum
- Pincée de poudre de moisissure Geotrichum candidum 15
- 1 cuillère à café de chlorure de calcium dilué dans ¼ tasse d'eau fraîche non chlorée
- 1 cuillère à café de présure liquide diluée dans ¼ tasse d'eau fraîche non chlorée
- 1 tasse de poudre de cendre végétale
- 2 cuillères à café de sel de mer

1. Dans une marmite non réactive de 6 pintes, chauffer le lait à feu doux à 72 ° F; cela devrait prendre environ 10 minutes. Éteignez le feu.

2. Saupoudrer les poudres de levain et de moule sur la surface du lait et laisser se réhydrater pendant 5 minutes. Bien mélanger à l'aide d'un fouet dans un mouvement de haut en bas. Ajouter le chlorure de calcium et fouetter doucement pendant 1 minute, puis ajouter la présure de la même manière. Couvrir et laisser reposer, en maintenant 72 ° F pendant 12heures ou jusqu'à ce que le caillé donne une pause nette.

3. Coupez le caillé en tranches de ½ pouce à l'aide d'une louche ou d'une écumoire. À l'aide d'une spatule en caoutchouc, remuez doucement sur les bords du pot pendant 5 minutes, puis laissez le caillé reposer pendant 5 minutes.

4. Placez une grille d'égouttage sur un plateau, puis placez 4 moules pyramidaux tronqués sur la grille. Versez les tranches de caillé dans les moules pour remplir, puis laissez égoutter jusqu'à ce que plus de caillé puisse être ajouté aux moules. Ne soyez pas tenté d'ajouter un autre moule; le caillé se comprime à mesure que le lactosérum s'écoule.

5. Couvrir d'un torchon et laisser égoutter les fromages pendant 48 heures à température ambiante, en retirant le lactosérum plusieurs fois tout en égouttant et en retirant le lactosérum collecté avec une serviette en papier chaque

fois que vous le égouttez. Retourner les moules au bout de 12 heures ou lorsque les fromages sont suffisamment solides pour être manipulés, puis Xip encore quelques fois au cours des 36 prochaines heures. Au bout de 48 heures, le caillé sera réduit à environ la moitié de la hauteur du moule.

6.   Retirez les moules et mélangez les cendres végétales avec le sel dans un petit bol. Porter des jetablesgants, utilisez une passoire à une maille pour saupoudrer les fromages de cendre végétale, en les enrobant légèrement chacun complètement. Tapotez doucement les cendres sur la surface des fromages.

7.   Placez les fromages à au moins 1 pouce l'un de l'autre sur un tapis de fromage propre dans une boîte d'affinage. Couvrir légèrement avec le couvercle et laisser reposer à température ambiante pendant 24 heures. Essuyez toute humidité de la boîte,puis mûrir à 50 ° F à 55 ° F et 90 pour cent d'humidité pendant 3 semaines.

8. Pour les premiers jours, ajustez le couvercle pour qu'il soit légèrement ouvert pendant une partie de chaque jour afin de maintenir le niveau d'humidité souhaité. La surface des fromages doit paraître humide mais pas mouillée.

9. Continuez à emballer les fromages tous les jours. Après environ 5 jours, les plus grands signes de moisissure floue blanche apparaîtront à travers les cendres. Après 10 à 14 jours, les fromages seront entièrement enrobés de

moisissure blanche. Au fur et à mesure que le fromage vieillit, la surface vire au gris très clair.

10. Enveloppez les fromages dans du papier à fromage et remettez-les dans la caisse d'affinage; ils commenceront à se ramollir en 1 semaine environ. Après un total de 4 semaines à compter du début de l'affinage, enveloppez les fromages dans du papier de fromage frais et conservez-les au réfrigérateur. Il est préférable de consommer ce fromage lorsqu'il a atteint la maturité souhaitée, dans les 4 à 6 semaines suivant le début de l'affinage.

FROMAGES À CROUTE LAVÉE ET À CROUTE BROYÉE

19. Fromage trappiste à la coriandre lavée à la bière

FAIT 1 livre

- 1 gallon de lait de vache entier pasteurisé
- 1½ cuillère à café de graines de coriandre, écrasées
- 1½ cuillère à café de zeste d'orange granulé
- 1 cuillère à café de culture de démarreur mésophile en poudre Meso II
- 1 cuillère à café de chlorure de calcium dilué dans ¼ tasse d'eau fraîche non chlorée
- 1 cuillère à café de présure liquide diluée dans ¼ tasse d'eau fraîche non chlorée
- Sel casher (de préférence de la marque Diamond Crystal)
- Une bouteille de bière belge de 12 onces à température ambiante, plus 16 à 24 onces de plus pour le lavage

1. Dans une casserole non réactive de 2 litres, chauffer 1 litre de lait à feu doux à 90 ° F; cela devrait prendre environ 20 minutes. Incorporer 1 cuillère à café de coriandre et 1 cuillère à café de zeste d'orange, puis augmenter lentement la température à 110 ° F en 10 minutes. Éteignez le feu, couvrez et laissez infuser pendant 45 minutes ou jusqu'à ce que la température redescende à 90 ° F.

2. Placez les 3 litres de lait restants dans une marmite non réactive de 6 litres. Versez le lait infusé à travers une passoire Nne-mesh dans la plus grande casserole de lait et fouettez pour combiner. Jeter la coriandre et l'orange. Porter le lait à 90 ° F à feu doux; cela devrait prendre 5 minutes. Éteignez le feu.

3. Saupoudrez le démarreur sur le lait et laissez-le se réhydrater pendant 5 minutes. Bien mélanger à l'aide d'un fouet dans un mouvement de haut en bas. Couvrir et maintenir 90 ° F, en laissant le lait mûrir pendant quelques minutes. Ajouter le chlorure de calcium et fouetter doucement pendant 1 minute, puis ajouter la présure de la même manière. Couvrir et laisser reposer en maintenant 90 ° F pendant 1heure, ou jusqu'à ce que le caillé donne une pause nette.

4. Toujours en maintenant 90 ° F, couper le caillé en morceaux de ½ pouce et laisser reposer 10 minutes. Remuez doucement le caillé pendant 15 minutes pour expulser plus de lactosérum, puis laissez reposer encore 10 minutes. Le caillé rétrécira à la taille de petits haricots. Pendant ce temps, chauffer 2 litres d'eau à 175 ° F. Loucheo assez de lactosérum pour exposer le caillé.

Ajoutez suffisamment d'eau chaude pour porter la température à 93 ° F.

5. Remuer pendant 10 minutes. Répétez le processus d'élimination du lactosérum et d'ajout d'eau chaude, cette fois en portant la température à 100 ° F. Remuer pendant 15 minutes, puis laisser reposer le caillé pendant 10 minutes. Couvrir et laisser reposer 45 minutes en maintenant 100 ° F. Le caillé va se mater et former une dalle.

6. Drainer oD assez de lactosérum pour exposer la plaque de caillé. Transférer la dalle dans une passoire à fond de cuve, la placer sur la casserole et laisser égoutter pendant 5 minutes. Transférer la dalle sur une planche à découper et couper en tranches de ⅜ pouces d'épaisseur. Mettre dans un bol et mélanger doucement avec 2 cuillères à café de sel.

7. Tapisser un moule à tomme de 5 pouces avec une étamine humide et placez-le sur une grille d'égouttage. Emballez fermement la moitié du caillé dans le moule, couvrez avec les queues de tissu et le suiveur, et appuyez à 5 livres pendant 10 minutes, juste pour compacter légèrement le caillé. Décollez le chiffon et saupoudrez sur la ½ cuillère à café restante de coriandre et ½ cuillère à café de zeste d'orange, puis emballez dans le reste du caillé moulu.

8. Couvrir avec les queues de tissu et le suiveur et presser à 8 livres pendant 6 heures à température ambiante. Retirer le fromage du moule, le déballer, le déposer et le

redresser, puis presser à nouveau à 8 livres pendant 8 heures pour bien comprimer le caillé.

9. Versez la bouteille de bière dans un récipient non réactif suffisamment grand pour contenir à la fois la bière et le fromage. Retirez le fromage du moule et de la gaze et placez-le dans la bière. Faire tremper le fromage, couvert, pendant 8 heures à 55 ° F, en versant une fois.

10. Retirez le fromage de la bière et séchez-le. Réserver et réfrigérer la bière et déposer le fromage sur un tapis à fromage. Sécher à l'air à température ambiante pendant 12 heures. Remettre le fromage dans la bière et laisser tremper encore 12 heures à 55 ° F. Retirer, sécher en tapotant et sécher à l'air à température ambiante pendant 12 heures ou jusqu'à ce que la surface soit sèche au toucher. Jetez la bière.

11. Préparez un lavage de saumure-ale: faites bouillir ½ tasse d'eau et laissez refroidir, et combinez avec ½ tasse de bière, puis dissolvez 1 cuillère à café de sel dans le liquide. Conserver au réfrigérateur.

12. Placez le fromage sur une natte dans une boîte d'affinage et faites-le mûrir à 50 ° F et 90% d'humidité pendant 4 à 6 semaines. Retourner le fromage tous les jours pendant l'Orst 2 semaines, puis deux fois par semaine par la suite.

13. Après chaque astuce, versez un peu de saumure dans un petit plat, trempez-y un petit morceau de gaze et utilisez-

le pour essuyer la surface du fromage. Jeter tout lavage de saumure inutilisé après 1 semaine et faire un nouveau lot. Essuyez également toute humidité du fond, des côtés et du couvercle de la boîte d'affinage chaque fois que vous essuyez le fromage.

14.   Envelopper le fromage dans du papier à fromage et conserver au réfrigérateur jusqu'à 1 mois. Si vous scellez le fromage sous vide, retirez-le de l'emballage et séchez-le avant de le consommer.

20. Cabra al vino

FAIT 1½ livres

- 2 gallons de lait de chèvre pasteurisé

- ¼ cuillère à café de culture de démarreur mésophile en poudre Meso II
- 1 cuillère à café de chlorure de calcium dilué dans ¼ tasse d'eau fraîche non chlorée
- ¾ cuillère à café de présure liquide diluée dans ¼ tasse d'eau fraîche non chlorée
- Sel casher (de préférence de la marque Diamond Crystal)
- Une bouteille de 750 ml de vin rouge, réfrigérée à 55 ° F

1. Dans une marmite non réactive de 10 litres, chauffer le lait à feu doux à 90 ° F; cela devrait prendre environ 20 minutes. Éteignez le feu.

2. Saupoudrez le démarreur sur le lait et laissez-le se réhydrater pendant 5 minutes. Bien mélanger à l'aide d'un fouet dans un mouvement de haut en bas. Couvrir et maintenir 90 ° F, en laissant le lait mûrir pendant 30 minutes. Ajouter le chlorure de calcium et fouetter doucement pendant 1 minute, puis ajouter la présure de la même manière. Couvrir et laisser reposer en maintenant 90 ° F pendant 1heure, ou jusqu'à ce que le caillé donne une pause nette.

3. Toujours à 90 ° F, couper le caillé en morceaux de ¾ de pouce et laisser reposer 5 minutes. Remuez doucement le caillé pendant 20 minutes, puis laissez reposer.

4.   Pendant ce temps, chauffer 2 litres d'eau à 175 ° F. Loucheo assez de lactosérum pour exposer le caillé. Ajoutez suffisamment d'eau chaude pour porter la température à 93 ° F. Remuer pendant 5 minutes. Répétez le processus d'élimination du lactosérum et d'ajout d'eau chaude, cette fois en portant la température à 102 ° F. Remuez pendant 15 minutes, puis laissez le caillé reposer pendant 10 minutes.

5.   Couvrir et laisser reposer pendant quelques minutes, en maintenant 102 ° F. Le caillé sera légèrement mat et formera une dalle.

6.   Égoutterassez de lactosérum pour exposer la plaque de caillé. À l'aide d'une passoire ou d'une louche, retournez doucement le caillé toutes les 5 minutes pendant 15 minutes. Placez la dalle dans un bol et, à l'aide de vos mains, brisez-la en morceaux de ½ pouce et mélangez doucement avec 2 cuillères à café de sel.

7.   Tapisser un moule à tomme de 8 pouces de mousseline de beurre humide et le placer sur une grille d'égouttage. Remplissez le moule avec le caillé moulu, couvrez avec les queues du tissu et du suiveur, et appuyez à 5 livres pendant 8 heures à température ambiante. Retirer le fromage du moule, déballer, déposer et réparer,puis appuyez à nouveau à 5 livres pendant 8 heures à température ambiante.

8.   Versez le vin dans un récipient non réactif à couvercle suffisamment grand pour contenir à la fois le vin et le

fromage. Retirez le fromage du moule et du chiffon et placez-le dans le vin. Faire tremper le fromage, couvert, pendant 12 heures à 55 ° F, en le retournant une fois.

9.   Retirez le fromage du vin et séchez-le. Réserver et réfrigérer le vin et déposer le fromage sur un tapis à fromage. Sécher à l'air à température ambiante pendant 12 heures. Remettre le fromage dans le vin et laisser tremper encore 12 heures à 55 ° F. Retirer, sécher en tapotant et sécher à l'air à température ambiante pendant 12 heures ou jusqu'à ce que la surface soit sèche au toucher. Jetez le vin.

10.   Placez le fromage sur une natte dans une boîte d'affinage et faites-le mûrir à 50 ° F et 85% d'humidité pendant 6 semaines. Retourner le fromage tous les jours pourles 2 premières semaines, puis deux fois par semaine par la suite. Après chaque Fip, essuyez la surface avec un petit morceau de gaze trempé dans une petite quantité de saumure: faites bouillir ½ tasse d'eau et laissez refroidir, puis ajoutez 1 cuillère à café de sel et remuez pour dissoudre.

11. Conserver au réfrigérateur. Le lavage à la saumure contrôlera la croissance indésirable de moisissures. Jeter tout lavage de saumure inutilisé après 1 semaine et faire un nouveau lot. Essuyez également toute humidité du fond, des côtés et du couvercle de la boîte de maturation chaque fois que vous Oipez le fromage.

12.   Après 2 semaines d'affinage, vous pouvez cirer le fromage et le réfrigérer pendant toute la durée du

vieillissement: jusqu'à 6 semaines. Si vous ne voulez pas enduire de cire, gardez simplement le fromage dans la boîte d'affinage pendant 6 semaines comme spécifié à l'étape 9. Après environ 3 semaines et demie, le fromage aura un arôme de moisi, de vignoble et de fromagerie.

21. Pavé de coucher de soleil du désert

FAIT deux fromages de 10 onces ou un fromage de 1½ livre

- 2 gallons de lait de vache entier pasteurisé
- 1 cuillère à café de culture starter mésophile en poudre MA 4001
- ⅛ cuillère à café de poudre de moisissure Penicillium candidum
- Pincée de poudre de moisissure Geotrichum candidum 15
- 1 cuillère à café de chlorure de calcium dilué dans ¼ tasse d'eau fraîche non chlorée
- 1 cuillère à café de présure liquide diluée dans ¼ tasse d'eau fraîche non chlorée
- Sel casher (de préférence de la marque Diamond Crystal) pour le saumurage et le lavage
- Annatto liquide pour le saumurage et le lavage

1. Dans une marmite non réactive de 10 litres, chauffer le lait à feu doux à 90 ° F; cela devrait prendre 20 minutes. Éteignez le feu.

2. Saupoudrer les poudres de démarreur et de moule sur le lait et laisser réhydrater pendant 5 minutes. Bien mélanger à l'aide d'un fouet dans un mouvement de haut en bas. Couvrir et maintenir 90 ° F, en laissant le lait mûrir pendant 1 heure. Ajouter le chlorure de calcium et fouetter doucement, puis ajouter la présure de la même manière. Couvrir et laisser reposer, en maintenant 90 ° F pendant 30minutes, ou jusqu'à ce que le caillé donne une pause nette.

3. Toujours en maintenant 90 ° F, couper le caillé en morceaux de ¾ de pouce et laisser reposer pendant 5 minutes pour rm. Remuez doucement le caillé pendant 30 minutes, en retirant 2 tasses de lactosérum toutes les 10 minutes. Ensuite, laissez le caillé reposer pendant 10 minutes.

4. Tapisser un moule carré Taleggio de 7 pouces ou deux moules à fromage carrés de 4 pouces de mousseline de beurre humide. Placez les moules sur un égouttoir au-dessus d'un plateau et versez doucement le caillé dans les moules, en les pressant dans les coins avec votre main. Couvrir le caillé avec les queues de tissu et couvrir l'ensemble de l'installation avec un torchon. Laisser égoutter pendant 6 heures dans un endroit chaud de la cuisine. Retirer le fromage du moule, déballer, essuyer et redresser, puis laisser égoutter pendant 6 heures de plus.

5.   Deux heures avant la fin du temps de vidange, faites une saumure de trempage en combinant 2½ tasses d'eau froide non chlorée, ½ tasse de sel et 8 gouttes de rocou dans un récipient non réactif suffisamment grand pour contenir la saumure et le fromage.

6.   Remuer pour dissoudre complètement le sel, puis refroidir à 50 ° F à 55 ° F. Retirez le fromage du moule et du chiffon et placez-le dans la saumure. Faire tremper le fromage, couvert, à 50 ° F à 55 ° F pendant 8 heures, en le grignotant au moins une fois.

7.   Retirez le fromage de la saumure et séchez-le. Sécher à l'air à température ambiante sur un tapis ou une grille à fromage pendant 24 heures, ou jusqu'à ce que la surface soit sèche au toucher.

8.   Placez le fromage sur une natte dans une boîte de maturation et faites-le mûrir à 50 ° F et 85% d'humidité, en basculant tous les deux jours. Au moins 2 heures avant de tremper le fromage le temps de repos, faites un lavage à la saumure en combinant 1½ cuillère à café de sel, 3 gouttes de rocou et 1 tasse d'eau fraîche non chlorée dans un bocal en verre stérilisé; bien secouer pour dissoudre le sel, puis refroidir à 50 ° F à 55 ° F.

9.   Après chaque essuyage, versez un peu de saumure dans un petit plat, trempez-y un petit morceau de gaze, essorez-le et utilisez-le pour essuyer la surface du fromage.

10. Jeter tout lavage de saumure inutilisé après 1 semaine et faire un nouveau lot. Essuyez également toute humidité du fond, des côtés et du couvercle de la boîte de maturation chaque fois que vous Oipez le fromage. 8.

11. La croûte deviendra croustillante et ferme, et dans 10 à 14 jours, une couleur orange se développera; cela s'approfondira avec le vieillissement des fromages. Après 4 semaines, la croûte doit être légèrement humide et le centre du fromage doit être mou; à ce stade, il est prêt à être mangé. A consommer dans les 2 semaines.

22. Style télème à croûte lavée

FAIT 2 livres

- 2 gallons de lait de vache entier pasteurisé
- 1 cuillère à café de culture starter mésophile en poudre MA 4001
- 1 cuillère à café de chlorure de calcium dilué dans ¼ tasse d'eau fraîche non chlorée

- 1 cuillère à café de présure liquide diluée dans ¼ tasse d'eau fraîche non chlorée
- 2 cuillères à soupe de sel casher (de préférence de marque Diamond Crystal) ou de sel au fromage

1. Dans une marmite non réactive de 10 litres, chauffer le lait à feu doux à 86 ° F; cela devrait prendre 15 minutes. Éteignez le feu.

2. Saupoudrez le démarreur sur le lait et laissez-le se réhydrater pendant 5 minutes. Bien mélanger à l'aide d'un fouet dans un mouvement de haut en bas. Couvrir et maintenir 86 ° F, en laissant le lait mûrir pendant 1 heure. Ajouter le chlorure de calcium et fouetter doucement pendant 1 minute, puis ajouter la présure de la même manière. Couvrir et laisser reposer, en maintenant 86 ° F pendant 30 à 45 minutes, ou jusqu'à ce que le caillé donne une pause nette.

3. Couper le caillé en morceaux de 1 ½ pouce et laisser reposer 5 minutes. À feu doux, porter lentement le caillé à 102 ° F sur une période de 40 minutes, en remuant continuellement pour éviter qu'il ne se mette. Le caillé libérera plus de lactosérum, d'Orm vers le haut, et rétrécira à la taille de gros haricots de Lima.

4. Une fois que 102 ° F est atteint, retirer du feu, maintenir la température et laisser reposer le caillé pendant 30 minutes. Chauffer 2 litres d'eau à 120 ° F. Louche o + assez de lactosérum pour exposer le caillé.

Ajoutez suffisamment d'eau chaude pour amener la température à 104 ° F. Remuer continuellement pendant 15 minutes ou jusqu'à ce que les caillés adhèrent ensemble lorsqu'ils sont pressés dans votre main.

5.   Tapissez une passoire de mousseline de beurre humide et placez-la sur un bol ou un seau assez grand pour capturer le lactosérum, qui peut être jeté. Versez doucement les caillés dans la passoire et rincez à l'eau froide non chlorée pour les refroidir. Laisser égoutter pendant 5 minutes, puis saupoudrer 1 cuillère à soupe de sel et mélanger doucement et soigneusement avec vos mains.

6.   Placez un tapis sur une grille d'égouttage posée sur un plateau, puis placez un moule carré Taleggio de 7 pouces sur le tapis. Mettez le sac de caillé rincé dans le moule et appuyez sur le caillé dans les coins. Couvrez le dessus du caillé avec les queues de tissu et appuyez avec vos mains pour mater le caillé. Laisser égoutter à température ambiante pendant 6 heures pour un fromage moelleux ou 8 heures pour un fromage Xrmer. Retourner le fromage une fois à la moitié de cette période de drainage.

7.   Retirez le fromage du moule et séchez-le. Frottez la surface du fromage avec 1 cuillère à soupe de sel restante et remettez-la dans le moule sans le chiffon. Remettre le moule sur le tapis sur la grille égouttoir pendant 12 heures,Tremper une fois dans ce temps.

8.　　Retirez le fromage du moule et placez-le dans une boîte d'affinage entre 50 ° F et 55 ° F et 85% d'humidité pendant au moins 2 semaines, en retournant le fromage tous les jours pour un affinage uniforme.

9.　Après 1 semaine, laver avec une simple solution de saumure deux fois par semaine jusqu'à 2 mois de maturation. Lorsque la maturité désirée est atteinte, envelopper et réfrigérer jusqu'à ce que vous soyez prêt à manger.

23. Chèvre Spirituée Vodka Citron

FAIT 1½ livres

- 2 gallons de lait de chèvre pasteurisé
- 1 cuillère à café de culture starter mésophile en poudre MM 100
- ¼ cuillère à café Thermo B en poudre de culture de démarrage thermophile Geotrichum candidum 15 moisissure en poudre
- ¼ cuillère à café de chlorure de calcium dilué dans ¼ tasse d'eau fraîche non chlorée

- 1 cuillère à café de présure liquide diluée dans ¼ tasse d'eau fraîche non chlorée
- Sel casher (de préférence de marque Diamond Crystal) ou sel de fromage Pincée de poudre de lin Brevibacterium
- 1 tasse de vodka au citron Charbay Meyer ou autre vodka infusée au citron

1. Dans une marmite non réactive de 10 litres, chauffer le lait à feu doux à 90 ° F; cela devrait prendre environ 20 minutes. Éteignez le feu.

2. Saupoudrer les deux entrées et une pincée de poudre de moule sur le lait et laisser réhydrater pendant 5 minutes. Bien mélanger à l'aide d'un fouet dans un mouvement de haut en bas. Couvrir et maintenir 90 ° F, en laissant le lait mûrir pendant 45 minutes. Ajouter le chlorure de calcium et fouetter doucement pendant 1 minute, puis ajouter la présure de la même manière. Couvrir et laisser reposer, en maintenant 90 ° F pendant 30 à 45 minutes, ou jusqu'à ce que le caillé donne une pause nette.

3. Toujours en maintenant 90 ° F, couper le caillé en morceaux de ½ pouce et laisser reposer 10 minutes. Remuez doucement le caillé pendant 10 minutes,puis laissez reposer 30 minutes. Augmentez lentement la température à 100 ° F en 30 minutes, en remuant le caillé toutes les 5 minutes. Laissez le caillé reposer pendant environ 10 minutes; ils couleront au fond.

4.   Versez suffisamment de lactosérum pour exposer le
      caillé, puis versez doucement le caillé dans une passoire
      tapissée de mousseline de beurre humide et laissez
      égoutter pendant 5 minutes.

5.   Tapisser un moule à tomme de 8 pouces ou un moule
      carré Taleggio de 7 pouces avec de la mousseline de
      beurre humide et placer sur un égouttoir. Transférer le
      caillé dans le moule, en répartissant doucement et en
      pressant dans le moule avec votre main. Couvrir le caillé
      avec les queues de tissu et un suiveur et presser à 3 livres
      pendant 1 heure.

6.   Retirer le fromage du moule, déballer, Uip et
      redresser, puis presser à 5 livres pendant 12 heures,
      Pourboire une fois à 6 heures.

7.   Faire 2 litres de saumure saturée (voir le tableau de la
      saumure) et refroidir à 50 ° F à 55 ° F. Retirez le fromage
      du moule et du chiffon et placez-le dans la saumure pour
      qu'il trempe entre 50 ° F et 55 ° F pendant 8 heures, en le
      retournant au moins une fois pendant le processus de
      saumurage.

8.   Retirez le fromage de la saumure et séchez-le. Sécher
      à l'air sur un tapis de fromage à température ambiante
      pendant 12 heures ou jusqu'à ce que la surface soit sèche.

9.   Placez le fromage sur une natte dans une boîte de
      maturation et vieillissez entre 50 ° F et 55 ° F et 90%
      d'humidité, en glissant quotidiennement pendant 1

semaine. Chaque fois que vous sortez le fromage, essuyez toute trace d'humidité sur le fond, les côtés et le couvercle de la boîte.

10. Après 1 semaine, commencez à laver la surface avec un lavage bactérien. Douze heures avantau premier lavage, préparer la solution en dissolvant 1½ cuillère à café de sel dans 1 tasse d'eau froide non chlorée dans un bocal en verre stérilisé. Ajouter 1 pincée de poudre de moisissure Geotrichum candidum et de poudre de B. linens, fouetter pour incorporer, couvrir et conserver à 55 ° F.

11. Lorsque vous êtes prêt à laver, versez 1½ cuillère à soupe de lessive bactérienne dans un petit bol, en conservant le reste pour un autre lavage. Trempez un petit morceau de gaze dans la solution, essorez l'excédent et frottez-le sur toute la surface du fromage. À l'aide d'une serviette en papier, essuyez tout excès d'humidité de la boîte de maturation. Retournez le fromage et remettez-le dans la boîte d'affinage. Jeter tout lavage bactérien laissé dans le bol.

12. Lavez le fromage deux fois par semaine pendant 2 mois, en alternant le lavage bactérien avec les spiritueux. Pour laver avec la vodka, versez un peu de vodka dans un bol, trempez-y un petit morceau de gaze, essorez-le et frottez-le sur toute la surface du fromage.

13. Jetez la vodka qui reste dans le bol. La croûte deviendra légèrement collante et, entre 10 et 14 jours, une couleur orange clair se développera, qui s'approfondira avec le vieillissement du fromage. À 2 mois, la croûte ne doit être

que légèrement humide et le fromage doit être doux au toucher au centre; il est maintenant prêt à être mangé. Le fromage doit être consommé dans les 3 mois.

24. Époisses

FAIT deux fromages de ½ livre

- 1 gallon de lait de vache entier pasteurisé
- 1 cuillère à café de culture de démarreur mésophile en poudre Meso II
- Pincée de poudre de lin Brevibacterium
- ¼ cuillère à café de chlorure de calcium dilué dans ¼ tasse d'eau fraîche non chlorée
- 2 gouttes de présure liquide diluées dans ¼ tasse d'eau fraîche non chlorée
- Sel casher (de préférence de la marque Diamond Crystal)
- 3 tasses de brandy Marc de Bourgogne, autre brandy de marc similaire ou grappa

1. Dans une marmite non réactive de 10 litres, chauffer le lait à feu doux à 86 ° F; cela devrait prendre environ 15 minutes. Éteignez le feu.

2. Saupoudrer le démarreur et la poudre de B. linens sur le lait et laisser réhydrater pendant 5 minutes. Bien mélanger à l'aide d'un fouet dans un mouvement de haut en bas. Couvrir et maintenir 86 ° F, en laissant le lait mûrir pendant 30 minutes. Ajouter le chlorure de calcium et fouetter doucement pendant 1 minute, puis ajouter la présure de la même manière. Couvrir et laisser mûrir le lait pendant 4 heures à température ambiante, jusqu'à ce que le caillé donne une pause nette.

3. À feu doux, ramenez le caillé à 86 ° F. Coupez le caillé en morceaux de ¾ de pouce et laissez reposer 5 minutes. À ce stade, le caillé sera extrêmement mou.

4. Tapisser deux moules à camembert de 4 pouces avec une étamine humide et placer sur une grille d'égouttage au-dessus d'un plateau. Versez doucement le caillé dans les moules, couvrez avec les queues de tissu et couvrez l'ensemble de l'installation avec un torchon. Laisser égoutter 24 heures à température ambiante, de préférence dans un endroit chaud de la cuisine. Une fois que le caillé égoutté a rétréci à la moitié de la hauteur des moules, déchirez les fromages toutes les 2 heures.

5. Retirez les fromages des moules et du chiffon. Frottez environ 1 cuillère à café de sel sur toute la surface de chaque fromage. Sécher à l'air à température ambiante sur une grille pendant 18 heures, jusqu'à ce que la surface soit sèche au toucher.

6. Placez les fromages sur une natte dans une boîte d'affinage et vieillissez à 50 ° F et 90% d'humidité,

7. ipping tous les 3 jours pendant 6 semaines. Avant de déchirer le fromage pour la première fois, faites un lavage à la saumure en dissolvant 1 cuillère à café de sel dans ½ tasse d'eau bouillie et en le refroidissant à 50 ° F à 55 ° F. Chaque fois que vous sortez le fromage, utilisez d'abord une serviette en papier pour essuyer l'humidité de la surface du fromage, puis essuyez toute la surface du fromage avec un petit morceau de gaze trempé dans la saumure. Jeter tout lavage de saumure non utilisé. Utilisez également une serviette en papier pour essuyer toute trace

d'humidité sur le fond, les côtés et le couvercle de la boîte d'affinage chaque fois que vous sortez le fromage.

8.

9. Après la première semaine, commencez à alterner le lavage de saumure avec un lavage de brandy dilué (50 pour cent de brandy et 50 pour cent d'eau). Versez un peu de brandy dilué dans un petit plat, trempez-y un petit morceau d'étamine et frottez-le sur toute la surface du fromage. Jetez tout le cognac laissé dans le plat. À 3 semaines, commencez à alterner le lavage de saumure avec du brandy non dilué.

10.   Continuez à laver et Zipper le fromage tous les 3 jours pendant 6 semaines au total. La croûte deviendra légèrement collante et très aromatique, et à 10 à 14 jours une couleur orange pâle se développera; cela changera la couleur de l'eau-de-vie utilisée et s'approfondira à mesure que le fromage vieillit. À 6 semaines, la croûte doit être humide mais non collante, le centre du fromage doit être très mou et la pâte doit être liquide. Lorsque le fromage approche de la maturité désirée, transférez-le dans la boîte à fromage traditionnelle en bois pour terminer (voir note de tête). Mettez le fromage au réfrigérateur lorsqu'il est complètement affiné et consommez-le dans les 2 semaines.

25. Morbier

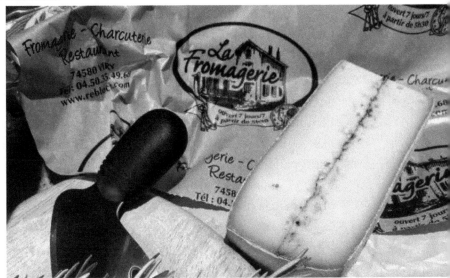

FAIT 1¾ livres

- 2 gallons de lait de vache entier pasteurisé

- 1 cuillère à café de culture de démarreur mésophile en poudre Meso II
- Poudre de linge Brevibacterium
- ½ cuillère à café de chlorure de calcium dilué dans ¼ tasse d'eau fraîche non chlorée
- ½ cuillère à café de présure liquide diluée dans ¼ tasse d'eau fraîche non chlorée
- ⅛ cuillère à café de cendre de légumes mélangée à ⅛ cuillère à café de sel marin Kne
- Sel casher (de préférence de marque Diamond Crystal) ou sel au fromage

1. Dans une marmite non réactive de 10 litres, chauffer le lait à feu doux à 90 ° F; cela devrait prendre environ 20 minutes. Éteignez le feu.

2. Saupoudrer le démarreur et une pincée de poudre de B. linens sur le lait et laisser réhydrater pendant 5 minutes. Bien mélanger à l'aide d'un fouet dans un mouvement de haut en bas. Couvrir et maintenir 90 ° F, en laissant le lait mûrir pendant 1 heure. Ajouter le chlorure de calcium et fouetter doucement pendant 1 minute, puis ajouter la présure de la même manière.

3. Couvrir et laisser reposer, en maintenant 90 ° F pendant 30 minutes, ou jusqu'à ce que le caillé donne une pause nette.

4.   Maintien à 90 °F, coupez le caillé en morceaux de ¾ de pouce et laissez reposer 5 minutes. À feu très doux, augmentez lentement la température à 100 ° F en 30 minutes, en remuant plusieurs fois. Laissez le caillé reposer pendant environ 10 minutes. À l'aide d'une tasse à mesurer, retirez environ la moitié du lactosérum et remplacez-le par suffisamment d'eau à 110 ° F pour que le caillé atteigne 104 ° F. Remuez doucement pendant 5 minutes, puis laissez le caillé se déposer.

5.   Tapisser 2 passoires de mousseline de beurre humide, répartir le caillé entre elles et laisser égoutter pendant 20 minutes. Tapisser un égouttoir avec des serviettes en papier humides, étendre les serviettes de quelques centimètres au-delà des bords de la grille et placer un

moule à tomme de 8 pouces sur le dessus. Tapisser le moule de mousseline de beurre humide.

6. Transférer le contenu d'une passoire de caillé égoutté dans le moule et presser le caillé dans les bords avec vos mains. En portant des gants jetables, utilisez une passoire en filet pour épousseter soigneusement la surface du caillé avec des cendres jusqu'à ½ pouce du bord.

7. Les serviettes en papier humidifiées devraient attraper les cendres égarées. Ajoutez doucement le deuxième lot de caillé sur le dessus de la couche de cendres et appuyez sur les bords avec vos mains. Tirez sur le chiffon et lissez les plis, puis couvrez le caillé avec les queues de tissu et le suiveur et appuyez à 5 livres pendant 1 heure. Retirer le fromage du moule, le déballer, le déposer et le redresser, puis presser à 8 livres pendant 12 heures ou toute la nuit.

8. Faire 2 litres de saumure presque saturée (voir le tableau de la saumure) et refroidir à 50 ° F à 55 ° F. Retirez le fromage du moule et du chiffon et placez-le dans la saumure pour faire tremper à 50 ° F à 55 ° F pendant 6 heures,Kipping au moins une fois pendant le processus de saumurage.

9. Retirez le fromage de la saumure et séchez-le. Placez-le sur un tapis de fromage et laissez-le sécher à l'air libre à température ambiante pendant 12 heures ou jusqu'à ce que la surface soit sèche au toucher.

10. Placez le fromage sur un tapis dans une boîte d'affinage pour qu'il vieillisse entre 50 ° F et 55 ° F et entre 85 et 90% d'humidité pendant 1 semaine.

Retournertous les jours, en utilisant une serviette en papier pour essuyer toute humidité accumulée dans la boîte chaque fois que vous inclinez le fromage.

11. Après 1 semaine, laver la surface avec un lavage bactérien. Douze heures avant ce lavage, préparez la solution: Faites bouillir ½ tasse d'eau et laissez refroidir dans un bocal en verre, puis ajoutez 1 cuillère à café de sel casher et remuez pour dissoudre. Ajoutez une petite pincée de poudre de B. linens, couvrez le pot avec le couvercle et agitez doucement pour dissoudre. Réserver à température ambiante pour que les bactéries se réhydratent.

12. Lorsque vous êtes prêt à laver, versez 1½ cuillère à soupe de lessive bactérienne dans un petit bol, en conservant le reste pour un autre lavage. Trempez un petit morceau de gaze dans la solution, essorez l'excédent et frottez-le sur toute la surface du fromage. Retournez le fromage et remettez-le dans la boîte d'affinage. Jeter tout lavage bactérien laissé dans le bol.

13. Deux fois par semaine, lavez le fromage avec un morceau d'étamine trempé dans de la saumure simple (voir tableau de la saumure) ou frottez la surface du fromage avec une brosse douce trempée dans de la saumure. Répétez ce processus deux fois par semaine pendant 2 mois,

14. Fipping le fromage à chaque fois. La croûte deviendra légèrement collante et à 10 à 14 jours, une couleur orange clair se développera, s'approfondissant à une teinte bronzée à mesure que le fromage vieillit.

15. Après 3 semaines, la pâte sous la surface sur les bords du fromage commencera à être molle. Continuez à laver ou à brosser pendant 2 mois.

16. À 2 mois, la croûte ne doit être que légèrement humide (non collante) et le fromage doit être doux au toucher; il est maintenant prêt à être mangé. Ou, enveloppez le fromage dans du papier à fromage et réfrigérez jusqu'à 2 mois de plus si vous le souhaitez.

26. Port salut

FAIT 1¼ livres

- 6 litres de lait de vache entier pasteurisé
- 1 cuillère à café de Meso II en poudre de culture de démarrage mésophile Brevibacterium linens en poudre
- 1 cuillère à café de chlorure de calcium dilué dans ¼ tasse d'eau fraîche non chlorée
- 1 cuillère à café de présure liquide diluée dans ¼ tasse d'eau fraîche non chlorée Sel casher (de préférence de marque Diamond Crystal) ou sel au fromage

1. Dans une marmite non réactive de 8 litres, chauffer le lait à feu doux à 90 ° F; cela devrait prendre environ 20 minutes. Éteignez le feu.

2. Saupoudrer le démarreur et une pincée de poudre de B. linens sur le lait et laisser réhydrater pendant 5 minutes. Bien mélanger à l'aide d'un fouet dans un mouvement de haut en bas. Couvrir et maintenir 90 ° F, en laissant le lait mûrir pendant 1 heure. Ajouter le chlorure de calcium et fouetter doucement pendant 1 minute, puis ajouter la présure de la même manière. Couvrir et laisser reposer, en maintenant 90 ° F pendant 30minutes, ou jusqu'à ce que le caillé donne une pause nette.

3. Coupez le caillé en morceaux de ½ pouce et laissez reposer 10 minutes. Entre-temps, chauffer 1 litre d'eau à 140 ° F. Loucheo environ un tiers du lactosérum et remplacer par suffisamment d'eau à 140 ° F pour amener la température à 92 ° F. Remuez doucement pendant 10 minutes, puis laissez le caillé reposer pendant 10 minutes. Répétez le processus, en retirant à nouveau un tiers du lactosérum et en ajoutant cette fois suffisamment d'eau à 140 ° F pour amener la température à 98 ° F. Remuez doucement pendant 10 minutes, puis laissez le caillé reposer pendant 15 minutes.

4. Tapisser une passoire d'étamine humide, y verser le caillé et laisser égoutter pendant 10 minutes. Tapisser un moule à tomme de 5 pouces avec une étamine humide et placez-le sur une grille d'égouttage. Transférer le caillé

égoutté dans le moule à fromage tapissé, en pressant le caillé dans les bords avec votre main.

5. Soulevez le chiffon et lissez les plis, couvrez le caillé avec les queues de tissu et le suiveur, et appuyez à 5 livres pendant 30 minutes. Retirer le fromage du moule, déballer, basculer et redresser, puis presser à 8 livres pendant 12 heures ou toute la nuit.

6. Faire 2 litres de saumure saturée (voir le tableau de la saumure) et refroidir à 50 ° F à 55 ° F. Retirez le fromage du moule et du chiffon et placez-le dans la saumure pour qu'il trempe entre 50 ° F et 55 ° F pendant 8 heures, en le retournant au moins une fois pendant le processus de saumurage.

7. Retirez le fromage de la saumure et séchez-le. Placer sur un tapis de fromage et sécher à l'air libre à température ambiante pendant 12 heures. Placez le fromage sur un tapis dans une boîte d'affinage et vieillissez entre 50 ° F et 55 ° F et entre 90 et 95% d'humidité, en le glissant quotidiennement pendant 1 semaine. Chaque fois que vous sortez le fromage, essuyez toute trace d'humidité du fond, des côtés et du couvercle de la boîte d'affinage avec une serviette en papier.

8. Après 1 semaine, commencez à laver la surface avec un lavage bactérien. Douze heures avantau premier lavage, préparer la solution: faire bouillir ½ tasse d'eau et laisser refroidir dans un bocal en verre, puis ajouter 1 cuillère à café de sel casher et remuer pour dissoudre.

9. Ajoutez une petite pincée de poudre de B. linens, couvrez le pot avec le couvercle et agitez doucement pour dissoudre. Réserver à température ambiante pour que les bactéries se réhydratent.

10. Lorsque vous êtes prêt à laver, versez 1½ cuillère à soupe de lessive bactérienne dans un petit bol, en conservant le reste pour un autre lavage. Trempez un petit morceau de gaze dans la solution, essorez l'excédent et frottez toute la surface du fromage. Retournez le fromage et remettez-le dans la boîte d'affinage. Jeter tout lavage bactérien laissé dans le bol.

11. Répétez ce processus tous les 2 jours, en avalant le fromage à chaque fois. Après avoir lavé le fromage avec un lavage bactérien 4 fois, passez à la saumure (1 cuillère à café de sel dissous dans ½ tasse d'eau bouillie, refroidie à 50 ° F à 55 ° F).

12. La croûte deviendra légèrement collante et, entre 10 et 14 jours, une couleur jaune-orange clair se développera; cette couleur s'approfondira à mesure que le fromage vieillira.

13. Continuez à laver et à mûrir pendant 4 semaines au total. À ce stade, la croûte doit être humide mais non collante et le centre du fromage doit être légèrement mou. A consommer dans les 2 semaines suivant la maturité souhaitée.

27. Reblochon

FAIT deux fromages d'une livre

- 2 gallons de lait de vache entier pasteurisé
- 1 cuillère à café de culture de démarreur mésophile en poudre Meso II
- ⅛ cuillère à café de poudre de lin Brevibacterium
- 1 cuillère à café de chlorure de calcium dilué dans ¼ tasse d'eau fraîche non chlorée
- 1 cuillère à café de présure liquide diluée dans ¼ tasse d'eau fraîche non chlorée
- Sel casher (de préférence de marque Diamond Crystal) ou sel au fromage

1. Dans une marmite non réactive de 10 litres, chauffer le lait à feu doux à 85 ° F; cela devrait prendre environ 15 minutes. Éteignez le feu.

2. Saupoudrer le démarreur et la poudre de B. linens sur le lait et laisser réhydrater pendant 5 minutes. Bien mélanger à l'aide d'un fouet dans un mouvement de haut en bas. Couvrir et maintenir 85 ° F, en laissant le lait mûrir pendant 30 minutes. Ajouter le chlorure de calcium et fouetter doucement pendant 1 minute, puis ajouter la présure de la même manière. Couvrir et laisser reposer, en maintenant 85 ° F pendant 30minutes, ou jusqu'à ce que le caillé donne une pause nette.

3. Toujours à 85 ° F, couper le caillé en morceaux de ½ pouce et laisser reposer 5 minutes. Réchauffer lentement le caillé à 95 ° F pendant 30 minutes, en remuant toutes les 10 minutes, puis retirer du feu et laisser le caillé se déposer.

4. Versez suffisamment de lactosérum pour exposer le caillé. Tapisser deux moules à tomme de 5 pouces avec une étamine humide et les placer sur une grille d'égouttage au-dessus d'un plateau. Transférer le caillé dans les moules; vous devrez peut-être les mettre dans les moules, mais ils ne rentreront tous qu'après 10 à 15 minutes de vidange.

5. Laisser égoutter pendant 15 minutes, puis soulever le chiffon et lisser les plis. Couvrez le caillé avec les queues de tissu et les suiveurs. Laisser égoutter sur la grille pendant 30 minutes, puis remonter les fromages, les remettre dans les moules et remettre les suiveurs.

Retourner toutes les 20 minutes pendant 2 heures, puis appuyer à 5 livres pendant 12 heures ou toute la nuit.

6.   Retirez les fromages des moules et du chiffon. Saupoudrez 1 cuillère à café de sel sur le dessus et le dessous de chaque fromage. Placez les fromages sur une natte dans une caisse d'affinage etâge à 55 ° F et 90 pour cent d'humidité, Qipping tous les deux jours.

7.   Avant de retourner le fromage la première fois, faites un lavage à la saumure: faites bouillir ½ tasse d'eau et laissez refroidir, puis ajoutez 1 cuillère à café de sel casher et remuez pour dissoudre. Conserver au réfrigérateur. Chaque fois que vous Uip le fromage, essuyez la surface avec un petit morceau de gaze trempé dans une petite quantité de saumure.

8.   Le lavage à la saumure contrôlera la croissance indésirable de moisissures. Jeter tout lavage de saumure inutilisé et faire un nouveau lot chaque semaine. Essuyez également toute humidité du fond, des côtés et du couvercle de la boîte d'affinage chaque fois que vous sortez le fromage.

9.   Continuez à essuyer et à laver le fromage tous les 2 jours pendant 2 à 6 semaines. À 10 à 14 jours, une couleur jaune-orange clair se développera, s'approfondissant au fur et à mesure que le fromage vieillit. À 4 semaines, la croûte doit être humide mais non collante et le centre du fromage doit être mou. Envelopper le fromage dans du papier à fromage,

réfrigérer lorsqu'il a la maturité désirée et consommer dans les 2 semaines suivant la maturité désirée.

28. Taleggio

FAIT un fromage de 2 livres ou deux fromages de 1 livre

* 2 gallons de lait de vache entier pasteurisé

- 1 cuillère à café de culture de démarreur mésophile en poudre Meso II
- Pincée de poudre de lin Brevibacterium
- 1 cuillère à café de chlorure de calcium dilué dans ¼ tasse d'eau fraîche non chlorée
- 1 cuillère à café de présure liquide diluée dans ¼ tasse d'eau fraîche non chlorée
- Sel casher (de préférence de marque Diamond Crystal) ou sel au fromage

1. Chauffer le lait dans une marmite non réactive de 10 litres à feu doux à 90 ° F; cela devrait prendre 20 minutes. Éteignez le feu.

2. Saupoudrer le démarreur et la poudre de B. linens sur le lait et laisser réhydrater pendant 5 minutes. Bien mélanger à l'aide d'un fouet dans un mouvement de haut en bas. Couvrir et maintenir 90 ° F, en laissant le lait mûrir pendant 1 heure. Ajouter le chlorure de calcium et fouetter doucement pendant 1 minute, puis ajouter la présure de la même manière. Couvrir et laisser reposer, en maintenant 90 ° F pendant 30minutes, ou jusqu'à ce que le caillé donne une pause nette.

3. Toujours à 90 ° F, couper le caillé en morceaux de ¾ de pouce et laisser reposer 5 minutes. Remuez doucement le caillé pendant 30 minutes, en retirant 2 tasses de lactosérum toutes les 10 minutes. Ensuite, laissez reposer le caillé pendant 10 minutes.

4.	Tapisser un moule carré Taleggio de 7 pouces ou deux moules à fromage carrés sans fond de 4 pouces avec une étamine humide et placer sur une grille d'égouttage au-dessus d'un plateau. Versez doucement le caillé dans les moules, en les pressant dans les bords avec votre main.

5.	Couvrir avec les queues de tissu et couvrir l'ensemble de l'installation avec un torchon. Laisser égoutter 12 heures à température ambiante, de préférence dans un endroit chaud de la cuisine. Toutes les 2 heures, retirez le fromage du moule, déballez-le, déposez-le et réparez-le.

6.	Faire 3 litres de saumure saturée (voir le tableau de la saumure) et refroidir à 50 ° F à 55 ° F. Retirez le fromage du moule et du chiffon et placez-le dans la saumure pour qu'il trempe entre 50 ° F et 55 ° F pendant 8 heures, en le retournant au moins une fois pendant le processus de saumurage.

7.	Retirez le fromage de la saumure et séchez-le. Sécher à l'air à température ambiante sur un tapis à fromage pendant 24 heures ou jusqu'à ce que la surface soit sèche au toucher. Placez sur un tapis dans une boîte de maturation pour vieillir à 50 ° F et 90% d'humidité, en basculant tous les deux jours.

8.	Avant de préparer le fromage au Krst, faites un lavage à la saumure: faites bouillir ½ tasse d'eau et laissez refroidir, puis ajoutez 1 cuillère à café de sel casher et remuez pour dissoudre. Conserver au réfrigérateur. Chaque fois que vous déposez le fromage, essuyez la surface avec un petit morceau de gaze trempé dans une petite quantité de saumure.

9. Le lavage à la saumure contrôlera la croissance indésirable de moisissures. Jeter tout lavage de saumure inutilisé et faire un nouveau lot chaque semaine. Essuyez également toute humidité du fond, des côtés et du couvercle de la boîte d'affinage chaque fois que vous essuyez le fromage.

10. Retourner et laver le fromage tous les 2 jours pendant 4 à 5 semaines. À 10 à 14 jours, une couleur jaune-orange clair se développera, s'approfondissant au fur et à mesure que le fromage vieillit. À 4 à 5 semaines, la croûte doit être humide mais non collante et le centre du fromage doit être mou. A consommer dans les 2 semaines suivant la maturité souhaitée.

FROMAGES BLEUS

29. Chèvre des bûches bleues fleuries

FAIT deux bûches de 6 onces

- 1 gallon de lait de chèvre pasteurisé
- 1 cuillère à café de culture starter mésophile en poudre Aroma B
- ⅛ cuillère à café de poudre de moisissure Penicillium candidum
- Pincée de poudre de moisissure Geotrichum candidum 15
- Pincée de poudre de moisissure Penicillium roqueforti
- 1 cuillère à café de chlorure de calcium dilué dans ¼ tasse d'eau fraîche non chlorée
- 1 cuillère à café de présure liquide diluée dans ¼ tasse d'eau fraîche non chlorée
- 1 cuillère à soupe de sel de mer Hne

- 1½ cuillère à soupe de cendre végétale

1. Chauffer le lait dans une marmite non réactive de 6 pintes à feu doux à 72 ° F; cela devrait prendre 10 minutes. Éteignez le feu.

2. Saupoudrer les poudres de démarreur et de moule sur le lait et laisser réhydrater pendant 5 minutes. Bien mélanger à l'aide d'un fouet dans un mouvement de haut en bas. Ajouter le chlorure de calcium et fouetter doucement pendant 1 minute, puis ajouter la présure de la même manière.

3. Couvrir et laisser reposer, en maintenant 72 ° F pendant 18 heures, ou jusqu'à ce que le caillé forme une masse Xrm et que le lactosérum soit enrobé sur le dessus.

4. Placer 2 moules à camembert ou autres moules ronds à côtés droits sur un tapis sur une grille égouttoir au-dessus d'un plateau, et fixer 2 moules cylindriques Saint-Maure à l'intérieur.

5. Avec une louche ou une écumoire, coupez doucement des tranches de caillé de ½ pouce d'épaisseur et déposez-les dans les moules cylindriques jusqu'à Oll. Laisser égoutter jusqu'à ce que plus de caillé puisse être ajouté aux moules. Ne soyez pas tenté d'ajouter un autre moule; le caillé se comprime au fur et à mesure que le lactosérum s'écoule, laissant de la place pour tout le caillé.

6.	Couvrir les moules, la grille et le plateau avec un torchon et laisser égoutter les fromages pendant 24 heures à température ambiante. Retirez le lactosérum accumulé plusieurs fois pendant la vidange, en essuyant le plateau lorsque vous le faites. Retournez les fromages au bout de 6 heures, ou lorsqu'ils sont assez Krm pour être manipulés, puis trempez-les encore quelques fois pendant les 24 heures.les heures. Au bout de 24 heures, le caillé sera réduit à environ la moitié de la hauteur des moules.

7.	Une fois que les fromages ont cessé de s'égoutter et que le caillé s'est comprimé en dessous de la moitié des moules, retirez les moules et saupoudrez 2 cuillères à café de sel sur toute la surface de chaque fromage. Mettre sur la grille pendant 10 minutes pour permettre au sel de se dissoudre.

8.	Dans un petit bol ou un bocal, mélanger les cendres de légumes avec 1 cuillère à café de sel restante. Porter des jetablesgants, utilisez une passoire en Vne pour saupoudrer légèrement les fromages de cendre végétale, en les enrobant complètement. Tapotez doucement les cendres sur la surface des fromages.

9.	Placez les fromages saupoudrés à au moins 1 pouce l'un de l'autre sur un tapis de fromage propre dans une boîte d'affinage. Couvrir la boîte sans serrer avec le couvercle et laisser reposer à température ambiante pendant 24 heures. Laisser égoutter et essuyer toute humidité de la boîte, puis faire mûrir le fromage entre 50 ° F et 55 ° F et 90% d'humidité pendant 2 semaines.

10. Pendant les premiers jours, ajustez le couvercle pour qu'il soit légèrement ouvert pendant une partie de chaque jour afin de maintenir le niveau d'humidité souhaité. La surface du fromage doit paraître humide mais pas mouillée.

11. Retournez les fromages d'un quart de tour par jour pour conserver leur forme de bûche. Après environ 5 jours, les premiers signes de moisissure floue blanche apparaîtront. Après 10 à 14 jours, les fromages seront entièrement enrobés de moisissure blanche. Après 3 semaines, certainsla cendre foncée apparaîtra à travers la moisissure blanche. À gauche un peu plus longtemps, des cendres plus foncées apparaîtront. Après un total de 4 semaines à compter du début de l'affinage, envelopper dans du papier à fromage et conserver au réfrigérateur. Il est préférable de consommer ce fromage lorsqu'il atteint la maturité souhaitée.

30. Gouda bleu

FAIT 1½ livres

- 2 gallons de lait de vache entier pasteurisé
- 1 cuillère à café de culture de démarrage mésophile en poudre Meso II ⅛ cuillère à café de poudre de moisissure Penicillium roqueforti
- 1 cuillère à café de chlorure de calcium dilué dans ¼ tasse d'eau froide non chlorée (à omettre si vous utilisez du lait cru)
- 1 cuillère à café de présure liquide diluée dans ¼ tasse d'eau fraîche non chlorée
- Sel casher ou sel au fromage

1.   Dans une marmite non réactive de 10 litres, chauffer le lait à feu doux à 86 ° F; cela devrait prendre 15 à 18 minutes. Éteignez le feu.

2.   Saupoudrer le démarreur et la poudre de moule sur le lait et laisser réhydrater pendant 5 minutes. Bien mélanger à l'aide d'un fouet dans un mouvement de haut en bas. Couvrir et maintenir 86 ° F, permettant au lait de mûrir pendant 45 minutes. Ajouter le chlorure de calcium et fouetter doucement pendant 1 minute, puis ajouter la présure de la même manière.

3.   Couvrir et laisser reposer, en maintenant 86 ° F pendant 30 minutes, ou jusqu'à ce que le caillé donne une pause nette.

4.   Maintien toujours 86 °F, couper le caillé en morceaux de ½ pouce et laisser reposer 5 minutes. Puis remuez pendant 5 minutes et laissez reposer 5 minutes. Chauffez 2 litres d'eau à 140 ° F et maintenez cette chaleur. Lorsque le caillé descend au fond de la casserole, versez 2 tasses de petit-lait, puis ajoutez suffisamment d'eau à 140 ° F pour amener le caillé à 92 ° F.

5.   Remuez doucement pendant 10 minutes, puis laissez le caillé se déposer. Louchez suffisamment de lactosérum pour exposer le dessus du caillé, puis ajoutez suffisamment d'eau à 140 ° F pour amener le caillé à 98 ° F. Remuez doucement pendant 20 minutes, ou jusqu'à ce que le caillé ait rétréci à la taille de petits haricots. Laissez le caillé reposer pendant 10 minutes; ils se tricoteront ensemble au fond du pot.

6. Réchauffez une passoire avec de l'eau chaude, puis égouttez le petit-lait et placez le caillé tricoté dans la passoire. Laisser égoutter pendant 5 minutes. Tapisser un moule à tomme de 5 pouces avec une étamine humide et placez-le sur une grille d'égouttage au-dessus d'un plateau. À l'aide de vos mains, cassez des morceaux de caillé de 1 pouce et répartissez-les dans le moule. Appuyez légèrement dessus pour combler les lacunes.

7. Tirez le chiffon bien serré et lisse, couvrez le caillé avec les queues de tissu et le suiveur, et appuyez à 5 livres pendant 30 minutes.

8. Retirer le fromage du moule, déballer, Uip et redresser, puis appuyez à 10 livres pendant 6 heures.

9. Faire 3 litres de saumure saturée (voir le tableau de la saumure) et refroidir à 50 ° F à 55 ° F. Retirez le fromage du moule et du chiffon et placez-le dans la saumure pour qu'il trempe entre 50 ° F et 55 ° F pendant 8 heures, en le retournant une fois pendant le saumurage.

10. Retirez le fromage de la saumure et séchez-le. Placer sur une grille et sécher à l'air à température ambiante pendant 1 à 2 jours, ou jusqu'à ce que la surface soit sèche au toucher.

11. Placer sur un tapis dans une boîte de maturation, couvrir sans serrer et faire vieillir entre 50 ° F et 55 ° F et 85% d'humidité pendant 1 semaine, Ripping tous les

jours. Retirez toute moisissure indésirable avec un petit morceau de gaze imbibé d'une solution de vinaigre-sel.

12.   Enduire de cire et conserver entre 50 ° F et 55 ° F et 75% d'humidité pendant au moins 6 semaines et jusqu'à 4 mois. Le fromage sera prêt à manger à 6 semaines.

31. Bleu babeurre

DONNE 10 onces

- 2 litres de lait de vache entier pasteurisé
- 1 litre de babeurre de culture, fait maison (voir variante Crème Fraîche) ou du commerce
- 2 tasses de crème épaisse
- 1 cuillère à café MM 100 poudre de culture de démarreur mésophile Penicillium roqueforti poudre de moule
- 1 cuillère à café de chlorure de calcium dilué dans ¼ tasse d'eau fraîche non chlorée
- 1 cuillère à café de présure liquide diluée dans ¼ tasse d'eau fraîche non chlorée

- 1½ cuillère à café de sel casher (de préférence de marque Diamond Crystal), de sel au fromage ou de sel de mer Lne Pake

1. Dans une marmite de 6 litres à feu doux, chauffer le lait, le babeurre et la crème à 90 ° F; cela devrait prendre environ 20 minutes. Éteignez le feu.

2. Saupoudrer le démarreur et une pincée de poudre de moule sur le lait et laisser réhydrater pendant 5 minutes. Bien mélanger à l'aide d'un fouet dans un mouvement de haut en bas. Couvrir et maintenir 90 ° F, en laissant le lait mûrir pendant 30 minutes. Ajouter le chlorure de calcium et fouetter doucement, puis ajouter la présure de la même manière. Couvrir et maintenir 90 ° F pendant 1 heure et demie, ou jusqu'à ce que le caillé donne une pause nette.

3. Toujours en maintenant 90 ° F, couper le caillé en morceaux de 1 pouce et laisser reposer 10 minutes. Puis

remuez doucement pendant 10 minutes pour rétrécir légèrement le caillé et faites-les remonter. Laisser reposer encore 15 minutes ou jusqu'à ce que le caillé tombe au fond. Louchez suffisamment de lactosérum pour exposer le caillé.

4.   Tapisser une passoire de mousseline de beurre humide et y verser délicatement le caillé. Laisser égoutter 10 minutes. Attachez les coins du chiffon ensemble pour former un sac de drainage et suspendez pendant 20 minutes, ou jusqu'à ce que le lactosérum cesse de s'écouler.

5. Tapisser un moule à camembert de 4 pouces de mousseline de beurre humide et le placer sur une grille au-dessus d'un plateau. Versez doucement le caillé dans le moule, en le remplissant à un quart de sa hauteur et en appuyant légèrement avec votre main pour combler les interstices.

6.

7. Mesurez ⅛ cuillère à café de poudre de P. roqueforti. Saupoudrez légèrement le caillé avec un tiers de la poudre de moule, puis ajoutez plus de caillé dans le moule à mi-chemin, en appuyant à nouveau doucement pour combler les interstices et en saupoudrant un autre tiers de la poudre de moule sur le caillé.

8. Répétez pour Ull le moule avec deux autres couches de caillé et une de poudre de moule; le caillé doit venir jusqu'à environ 1 pouce du haut du moule. Tirez le chiffon vers le haut et lissez et couvrez le caillé avec les

queues de tissu. Laisser égoutter le fromage pendant 4 heures à température ambiante, puis déballer, tremper, redresser et laisser égoutter pendant 4 heures de plus.

9.   Retirez délicatement le fromage du moule, déballez et saupoudrez un côté avec with cuillère à café de sel. Retournez le fromage et placez le moule à fromage dessus. Le fromage sera assez fragile, alors manipulez-le doucement. Placez-le sur un tapis dans une boîte de maturation et saupoudrez le ¾ cuillère à café de sel restante sur le dessus.

10.   Laisser égoutter pendant 5 heures, puis retirez le moule. Salez les côtés du fromage. Mettez le fromage dans une boîte d'affinage, couvrez-le sans serrer avec le couvercle et faites-le vieillir à 54 ° F et 75% d'humidité pendant jusqu'à 1 semaine, ou jusqu'à ce que le lactosérum cesse de s'écouler. Retournez le fromage tous les jours, égouttez le lactosérum qui s'est accumulé dans la boîte de maturation et utilisez une serviette en papier pour essuyer toute humidité du fond, des côtés et du couvercle de la boîte.

11.   Une fois que le lactosérum a cessé de s'écouler, utilisez une aiguille à tricoter stérilisée ou une brochette ronde pour percer le fromage de l'autre côté, quatre fois horizontalement et quatre fois verticalement. Ces passages d'air favoriseront la croissance des moisissures.

12.   Fixez le couvercle de la boîte de maturation et faites mûrir à 50 ° F et 85 à 90 pour cent d'humidité. La

moisissure bleue devrait apparaître à l'extérieur après 10 jours. Surveillez attentivement le fromage, en le buvant tous les jours et en ajustant le couvercle si l'humidité augmente et que trop d'humidité se développe.

13.   Au cours des 2 semaines suivantes, percez le fromage une ou deux fois de plus aux mêmes endroits pour assurer une bonne aération et le développement des veines bleues. Si une moisissure excessive ou indésirable apparaît à l'extérieur du fromage, frottez-le avec un petit morceau de gaze trempé dans une solution de vinaigre-sel.

14. Faire mûrir pendant 6 semaines, frotter tout excès de moisissure avec une étamine sèche, puis envelopper le fromage dans du papier d'aluminium et conserver au réfrigérateur jusqu'à 3 mois de plus ou plus pour un Xavor plus prononcé.

32. Cambozola

FAIT deux fromages de 10 onces

- 2 gallons de lait de vache entier pasteurisé
- 2 gallons de crème épaisse pasteurisée
- 1 cuillère à café de culture démarreur mésophile en poudre Meso II ou C101
- ⅛ cuillère à café de poudre de moisissure Penicillium candidum
- 1 cuillère à café de chlorure de calcium dilué dans ¼ tasse d'eau fraîche non chlorée

- 1 cuillère à café de présure liquide diluée dans ¼ tasse d'eau fraîche non chlorée
- ⅛ cuillère à café de poudre de moule Penicillium roqueforti
- 4 cuillères à café de sel casher (de préférence de marque Diamond Crystal), sel au fromage

1. Mélanger le lait et la crème dans une marmite non réactive de 6 pintes dans un bain-marie à 96 ° F à feu doux et réchauffer doucement à 86 ° F; cela devrait prendre environ 10 minutes. Éteignez le feu.

2. Saupoudrer le démarreur et la poudre de moisissure P. candidum sur le lait et laisser réhydrater pendant 5 minutes. Bien mélanger à l'aide d'un fouet dans un mouvement de haut en bas. Couvrir et maintenir 86 ° F, en laissant le lait mûrir pendant 30 minutes. Ajouter le chlorure de calcium et fouetter doucement, puis ajouter la présure de la même manière. Couvrir et laisser reposer en maintenant 86 ° F pendant 1½heures, ou jusqu'à ce que le caillé donne une pause nette.

3. Coupez le caillé en morceaux de ½ pouce et remuez doucement pendant 5 minutes. Laisser reposer le caillé pendant 5 minutes.

4. Tapisser une passoire d'étamine humide et y verser délicatement le caillé. Laissez égoutter pendant quelques minutes.

5.   Tapisser 2 moules Saint-Maure d'une étamine humide et les déposer sur une grille égouttoir au-dessus d'une lèchefrite. À l'aide d'une écumoire, versez doucement le caillé dans les moules jusqu'à ce qu'il soit à moitié plein. Saupoudrer le dessus de chaque fromage avec la moitié de la poudre de moule P. roqueforti, puis garnir chaque moule avec le caillé restant. Laisser égoutter pendant 6 heures à température ambiante, égoutter et essuyer tout petit lait qui s'accumule.

6.   Retirez le lactosérum accumulé plusieurs fois pendant la vidange, en essuyant le plateau lorsque vous le faites. Lorsque les fromages sont suffisamment solides pour être manipulés (après environ 8 heures), démoulez-les et déballez-les et jetez l'étamine, puis hachez-les et remettez-les dans les moules non doublés. Démouler et lèvre une fois de plus pendant que les fromages s'égouttent. Les fromages doivent égoutter pendant 8 à 10 heures au total.

7.   Une fois que les fromages ont cessé de s'égoutter, retirez-les des moules et placez-les sur un tapis propre placé dans une boîte d'affinage propre et sèche. Saupoudrez 2 cuillères à café de sel sur le dessus des fromages et attendez 5 minutes que le sel se dissolve. Retourner les fromages et saupoudrer les dessus avec les 2 cuillères à café de sel restantes.

8.   Couvrez la boîte sans serrer avec son couvercle. Faire mûrir à 50 ° F à 55 ° F et 90 pour cent d'humidité. Une humidité élevée est essentielle pour la fabrication de ce fromage. Retournez les fromages tous les jours, en essuyant tout lactosérum qui s'accumule dans la boîte de

maturation. Lorsque les fromages sont secs en surface (après environ 3 jours), couvrez hermétiquement la boîte pour continuer à affiner.

9. Continuez à emballer les fromages quotidiennement et à éliminer toute trace d'humidité dans la boîte. Après environ 5 jours, les premiers signes de moisissure floue blanche apparaîtront. Lorsque les fromages sont entièrement enrobés de moisissure blanche (après environ 8 jours), aérez le centre de chaque fromage en perçant horizontalement des côtés par le centre vers l'autre côté à l'aide d'une aiguille à tricoter stérilisée ou d'une brochette.

10. Il devrait y avoir 8 à 10 piercings à travers chaque fromage pour permettre le bon développement des veines bleues. Percer à nouveau aux mêmes endroits si des trous se referment au cours des 10 à 12 prochains jours.

11. Envelopper dans du papier à fromage 10 à 12 jours après le perçage et remettre dans la boîte d'affinage. Le fromage commencera à ramollir en 1 semaine environ. Après un total de 4 semaines à compter du début de l'affinage, le fromage doit être prêt à être consommé ou continuer à mûrir jusqu'à 6 semaines au réfrigérateur.

33. Bleu côtier

FAIT deux fromages d'une livre

- 2 gallons de lait de vache entier pasteurisé
- 1 cuillère à café de culture starter mésophile en poudre MM 100
- ⅛ cuillère à café de poudre de moule Penicillium roqueforti
- ¼ cuillère à café de chlorure de calcium dilué dans ¼ tasse d'eau fraîche non chlorée
- ¼ cuillère à café de présure liquide diluée dans ¼ tasse d'eau fraîche non chlorée

- 2 cuillères à soupe de gros sel casher (de préférence de la marque Diamond Crystal)

1. Dans une marmite non réactive de 10 litres placée dans un bain-marie à 96 ° F à feu doux, réchauffer doucement le lait à 86 ° F; cela devrait prendre environ 10 minutes. Éteignez le feu.

2. Saupoudrer le démarreur et la poudre de moule sur le lait et laisser réhydrater pendant 5 minutes. Bien mélanger à l'aide d'un fouet dans un mouvement de haut en bas. Couvrir et maintenir 86 ° F, en laissant le lait mûrir pendant 1 heure, en remuant de temps en temps. Ajouter le chlorure de calcium et fouetter doucement, puis ajouter la présure de la même manière. Couvrir et laisser reposer, en maintenant 86 ° F pendant 1 à 1½heures, ou jusqu'à ce que le caillé donne une pause nette.

3. Coupez le caillé en morceaux de ½ pouce et remuez doucement pendant 10 minutes, puis laissez le caillé se déposer au fond de la casserole. Versez 2 litres de lactosérum et remuez le caillé pendant 5 minutes de plus.

4. Tapisser une passoire ou une passoire de mousseline de beurre humide et y verser délicatement le caillé. Laisser égoutter pendant 5 minutes. Tapisser deux moules à camembert de 4 pouces avec une étamine humide et les placer sur une grille d'égouttage au-dessus d'un plateau.

5. Versez le caillé dans les moules, tirez le chiffon autour du caillé et couvrez le dessus avec les queues du chiffon, et

laissez égoutter pendant 12 heures à température ambiante. Retournez les fromages au moins quatre fois pour assurer une forme et une apparence uniformes.

6.   Retirer les fromages des moules et saupoudrer 1 cuillère à soupe de sel sur toute la surface de chacun, en les enrobant uniformément. Tapotez doucement le sel dans la surface. Placez les fromages sur un tapis dans une boîte d'affinage et vieillissez à 68 ° F à 72 ° F et 90 pour cent d'humidité. Ajustez un peu le couvercle pour qu'il y ait un peu de mouvement d'air. Retournez les fromages tous les jours, en essuyant tout excès d'humidité de la boîte avec une serviette en papier.

7.   Après 2 jours, utilisez une aiguille à tricoter stérilisée ou une brochette ronde pour percer chaque fromage de l'autre côté, 4 fois horizontalement et 4 fois verticalement. Ces passages d'air favoriseront la croissance des moisissures.

8.   Remettez les fromages dans la boîte et faites mûrir entre 50 ° F et 56 ° F et 85% d'humidité pendant 3 à 4 semaines. Après 10 jours, la moisissure bleue devrait commencer à apparaître. Retournez les fromages tous les jours, en essuyant tout excès d'humidité de la boîte avec une serviette en papier. Frottez toute moisissure indésirable avec un morceau de gaze trempé dans une solution de vinaigre-sel et essoré pour sécher.

9. Une fois que la croissance de la moisissure bleue est suffisante, enveloppez-les hermétiquement dans du papier d'aluminium et réfrigérez-les jusqu'à 4 à 6 mois.

34. Gorgonzola

FAIT 1½ livres

- 6 litres de lait de vache entier pasteurisé
- 1 cuillère à café de culture starter mésophile en poudre MM 100
- 1 cuillère à café de chlorure de calcium dilué dans ¼ tasse d'eau fraîche non chlorée
- ½ cuillère à café de présure liquide diluée dans ¼ tasse d'eau fraîche non chlorée
- ⅛ cuillère à café de poudre de moule Penicillium roqueforti
- Sel casher

1. Dans une marmite non réactive de 4 litres placée dans un bain-marie à 100 ° F, réchauffer doucement 3 litres de lait à 90 ° F; cela devrait prendre environ 15 minutes. Éteignez le feu.

2.   Saupoudrez la moitié du démarreur sur le lait et laissez-le se réhydrater pendant 5 minutes. Bien mélanger à l'aide d'un fouet dans unmouvement de haut en bas. Couvrir et maintenir 90 ° F, en laissant le lait mûrir pendant 30 minutes. Ajouter la moitié du chlorure de calcium et incorporer doucement au fouet, puis ajouter la moitié de la présure de la même manière. Couvrir et laisser reposer, en maintenant 90 ° F pendant 30 minutes, ou jusqu'à ce que le caillé donne une pause nette.

3.   Couper le caillé en morceaux de ¾ de pouce et laisser reposer 10 minutes, puis remuer doucement pendant 20 minutes pour faire remonter légèrement le caillé. Laisser reposer encore 15 minutes ou jusqu'à ce que le caillé tombe au fond.

4.   Versez suffisamment de lactosérum pour exposer le caillé. Tapisser une passoire d'étamine humide et y verser délicatement le caillé. Laisser égoutter pendant 5 minutes. Attachez les coins de l'étamine ensemble pour former un sac égouttoir et suspendez à 55 ° F pour laisser égoutter pendant 8 heures ou toute la nuit.

5.   Le lendemain matin, faites un deuxième lot de caillé de la même manière, en utilisant l'autre moitié du lait, du démarreur, du chlorure de calcium et de la présure. Laisser égoutter le caillé à 55 ° F pendant 6 heures. Avant la vidange du deuxième lot, porter le lot de Krst à température ambiante.

6.   Détachez les sacs et gardez les lots séparer, casser le caillé en morceaux de 1 pouce. Tapisser un moule à camembert de 4 pouces avec une étamine humide et le placer sur une grille d'égouttage.

7.   À l'aide de vos mains, tapissez le fond et les côtés du moule d'une fine couche du deuxième lot de caillé. Appuyez légèrement pour combler les lacunes. Couchez la moitié du caillé du premier lot dans le moule et appuyez doucement pour combler les interstices.

8.   Saupoudrez le dessus avec un tiers de la poudre de moule P. roqueforti, puis répétez le processus deux fois de plus jusqu'à ce que le moule soit rempli de quatre couches de caillé, en alternant les caillés du premier et du deuxième lot et la finition avec du caillé du deuxième lot. Le moule doit être rempli à environ 1 pouce du haut.

9.   Tirez l'étamine autour du caillé et couvrez le dessus avec les queues du tissu et du suiveur. Appuyez à 5 livres pendant 2 heures, puis démoulez, déballez, ipez et réparez.

10. Appuyez sur à 8 livres pendant 2 heures. Appuyez sur à 8 livres pendant 6 heures de plus, déballant, arrachant et réparant toutes les 2 heures.

11. Retirez délicatement le fromage du moule, déballez et saupoudrez un côté avec with cuillère à café de sel. Retournez le fromage et placez le moule à fromage dessus. Le fromage sera assez fragile, alors manipulez-le doucement. Placez-le sur un tapis dans une boîte de

maturation et saupoudrez ¾ cuillère à café de sel sur le dessus. Laisser égoutter pendant 5 heures,puis ip le fromage à nouveau. Répétez ce processus une fois par jour pendant 3 jours de plus, en saupoudrant une pincée de sel de chaque côté la première fois que vous l'iposez chaque jour, puis en égouttant pendant 5 heures et en arrosant à nouveau. Chaque fois que vous déchirez le fromage, égouttez le lactosérum accumulé et essuyez la boîte avec une serviette en papier.

12.   Après les 4 jours de salage, trempage et égouttage, retirez le moule et couvrez la boîte de maturation sans serrer avec le couvercle. Âge à 50 ° F et 75 pour cent d'humidité jusqu'à 2semaines, ou jusqu'à ce que le lactosérum cesse de s'écouler. Retournez le fromage tous les jours, en enlevant le lactosérum qui s'accumule dans la boîte de maturation et en essuyant toute humidité sur les côtés de la boîte.

13.   Une fois que le lactosérum a cessé de s'écouler, utilisez une aiguille à tricoter stérilisée ou une brochette ronde pour percer le fromage de l'autre côté, 4 fois horizontalement et 4 fois verticalement. Ces passages d'air favoriseront la croissance des moisissures.

14.   Fixez le couvercle de la boîte de maturation et faites mûrir à 50 ° F et 85 à 90 pour cent d'humidité. La moisissure bleue devrait apparaître à l'extérieur après 10 jours. Surveillez attentivement le fromage, retournez-le tous les jours et ajustez le couvercle si l'humidité augmente et que trop d'humidité se développe. Retirez

toute moisissure indésirable avec un morceau de gaze trempé dans une solution de vinaigre-sel.

15.   Au cours des 2 semaines suivant le perçage initial, percez le fromage une ou deux fois de plus aux mêmes endroits pour assurer une bonne aération et le développement des veines bleues.

16.   Mûrir pendant 2 mois, puis envelopper le fromage dans du papier d'aluminium et conserver au réfrigérateur pendant 1 à 3 mois de plus.

35. roquefort

FAIT 1 livre

- 2 litres de lait de vache entier pasteurisé
- 2 litres de crème épaisse
- 1 cuillère à café de culture starter mésophile en poudre MA 4001
- 1 cuillère à café de poudre de lipase douce diluée dans ¼ tasse d'eau froide non chlorée 20 minutes avant utilisation (facultatif)
- 1 cuillère à café de chlorure de calcium dilué dans ¼ tasse d'eau froide non chlorée (à omettre si vous utilisez du lait cru)
- 1 cuillère à café de présure liquide diluée dans ¼ tasse d'eau fraîche non chlorée
- ⅛ cuillère à café de poudre de moule Penicillium roqueforti
- 1½ cuillère à café de sel casher (de préférence de marque Diamond Crystal) ou de sel de mer Une Eake

1. Dans une marmite non réactive de 6 pintes dans un bain-marie à 100 ° F, mélanger le lait et la crème et réchauffer doucement à 90 ° F; cela devrait prendre environ 15 minutes. Éteignez le feu.

2. Saupoudrer le démarreur sur le lait et laisser réhydrater pendant 5 minutes. Bien mélanger à l'aide d'un fouet dans un mouvement de haut en bas. Couvrir et maintenir 90 ° F, en laissant le lait mûrir pendant quelques minutes. Ajouter la lipase, le cas échéant, et incorporer doucement au fouet, puis incorporer doucement le chlorure de calcium, puis la présure. Couvrir et laisser reposer, en maintenant 90 ° F pendant 2heures ou jusqu'à ce que le caillé donne une pause nette.

3. Couper le caillé en morceaux de 1 pouce et laisser reposer 15 minutes, puis remuer doucement pour faire légèrement remonter le caillé. Laisser reposer encore 15 minutes ou jusqu'à ce que le caillé tombe au fond.

4. Versez suffisamment de lactosérum pour exposer le caillé. Tapisser une passoire d'étamine humide et y verser délicatement le caillé. Laisser égoutter 10 minutes. Attachez les coins de l'étamine ensemble pour former un sac égouttoir et suspendez à température ambiante pour laisser égoutter pendant 30 minutes, ou jusqu'à ce que le lactosérum cesse de couler.

5. Placez un moule à camembert de 4 pouces sur une grille d'égouttage et tapissez-le d'une étamine humide. À l'aide de vos mains, déposez un quart du caillé dans le moule. Appuyez doucement pour remplir les espaces.

6. Saupoudrer le dessus du caillé avec un tiers de la poudre de moule P. roqueforti, puis répéter le processus jusqu'à ce que le moule soit rempli, Hnishing avec une couche de caillé. Le moule doit être rempli à environ 1 pouce du haut.

7. Laisser égoutter à température ambiante pendant 8 heures. Une fois que le caillé est suffisamment résistant pour être manipulé, après environ 4 heures d'égouttage, inclinez le fromage une fois ou deux, en le gardant dans sa gaze. Au bout de 8 heures, sortir le fromage du moule,

le déballer, le basculer et le redresser, puis laisser égoutter pendant 16 heures à température ambiante.

8. Après 24 heures d'égouttage, retirez délicatement le fromage du moule, saupoudrez un côté avec ¾ cuillère à café de sel, puis Qip et placez-le sur un tapis dans une boîte d'affinage.

9. Saupoudrez les ¾ cuillère à café restantes de sel sur le dessus. Le fromage sera assez fragile à ce stade, alors manipulez-le doucement.

10. Couvrir la boîte sans serrer et faire mûrir le fromage à 50 ° F à 55 ° F et 85 à 90 pour cent d'humidité. Retournez le fromage tous les jours pendant 1 semaine, en évacuant tout liquide accumulé dans la boîte de maturation et en utilisant une serviette en papier pour essuyer toute humidité de la boîte.

11. Après 1 semaine, utilisez une aiguille à tricoter stérilisée ou une brochette ronde pour percer le fromage de l'autre côté 4 fois horizontalement et 4 fois verticalement.

12. Ces passages encourageront la croissance des moisissures. Continuer à mûrir à 50 ° F à 55 ° F et 85 à 90 pour cent d'humidité. La moisissure bleue devrait apparaître à l'extérieur après 10 jours.

13. Une fois que le fromage a cessé de drainer le lactosérum, fermez le couvercle de la boîte pour contrôler

l'humidité. Retournez le fromage tous les jours et ajustez le couvercle si l'humidité augmente et trop d'humiditése développe.

14. Au cours des 2 semaines suivant le perçage initial, percez une ou deux fois de plus aux mêmes endroits pour assurer une bonne aération et le développement de la veine bleue. Retirez toute moisissure excessive ou indésirable avec un morceau de gaze trempé dans une solution de vinaigre-sel.

15.   Faites mûrir le fromage pendant 6 à 8 semaines. Lorsqu'il atteint la texture crémeuse désirée, enveloppez-le dans du papier d'aluminium et conservez-le au réfrigérateur jusqu'à 4 mois de plus.

36. Stilton

FAIT 1 livre

- 1 gallon de lait de vache entier pasteurisé
- 1 tasse de crème épaisse
- Poudre de moisissure Penicillium roqueforti
- 1 cuillère à café de culture démarreur mésophile en poudre C101 ou Meso II
- 1 cuillère à café de chlorure de calcium dilué dans ¼ tasse d'eau fraîche non chlorée
- 1 cuillère à café de présure liquide diluée dans ¼ tasse d'eau fraîche non chlorée

- 4 cuillères à café de sel casher

1. Dans une marmite non réactive de 6 pintes, chauffer le lait et la crème à feu doux à 86 ° F; cela devrait prendre environ 15 minutes. Éteignez le feu.

2. Saupoudrer ⅛ cuillère à café de poudre de moule et le démarreur sur le lait et laisser réhydrater pendant 5 minutes. Bien mélanger à l'aide d'un fouet dans un mouvement de haut en bas. Couvrir et maintenir 86 ° F, en laissant le lait mûrir pendant 30 minutes. Ajouter le chlorure de calcium et fouetter doucement, puis ajouter la présure de la même manière. Couvrir et laisser reposer en maintenant 86 ° F pendant 1½heures, ou jusqu'à ce que le caillé donne une pause nette.

3. À l'aide d'une écumoire, coupez le caillé en tranches de ½ pouce d'épaisseur. Tapisser une passoire avec une étamine humide et la placer sur un bol à peu près de la même taille que la passoire.

4. Transférer les tranches de caillé dans la passoire; le caillé doit être assis dans le lactosérum pris dans le bol. Couvrez la passoire; maintenir 86 ° F pendant 1 heure et demie. Ensuite, attachez les coins de l'étamine ensemble pour former un sac égouttoir et suspendez-le pour laisser égoutter à température ambiante pendant 30 minutes, ou jusqu'à ce que le lactosérum cesse de couler.

5. Placez le sac sur une planche à découper, ouvrez l'étamine et appuyez doucement sur le caillé, en les formant en forme de brique. Remettez le caillé dans la même étamine et placez-le sur un égouttoir. Appuyez

dessus à 8 livres pendant 8 heures ou toute la nuit à température ambiante.

6. Retirez le caillé de l'étamine et brisez-les en morceaux d'environ 1 pouce. Placez le caillé dans un bol, ajoutez le sel et mélangez doucement.

7. Tapisser un moule à fromage rond de 4½ pouces de diamètre avec une étamine humide et le placer sur une grille d'égouttage. Couchez la moitié du caillé dans le moule. Saupoudrer le dessus d'une pincée de poudre de moisissure P. roqueforti,puis couche le caillé restant dans le moule.

8. Repliez les queues du chiffon sur le caillé, mettez le suiveur en place et laissez égoutter à température ambiante pendant 4 jours. Retourner toutes les 20 minutes pendant les 2 premières heures, toutes les 2 heures pendant les 6 heures suivantes et une fois par jour pendant les 4 jours suivants. Retirez tout lactosérum accumulé chaque fois que vous déposez le fromage.

9. Après les 4 jours d'égouttage, retirez le fromage du moule et du chiffon et placez-le sur un tapis propre dans une boîte de maturation sèche. Couvrir la boîte sans serrer avec le couvercle et faire mûrir le fromage à 50 ° F à 55 ° F et 85 à 90 pour cent d'humidité. Une humidité élevée est essentielle pour la fabrication de ce fromage.

10. Retournez le fromage tous les jours pendant 1 semaine, en éliminant le lactosérum qui s'accumule dans

la boîte de maturation et en essuyant l'humidité de la boîte. Essuyez la croûte tous les jours avec une étamine imbibée

11. dans une solution de saumure simple (voir tableau de la saumure) pour la première semaine. Lorsque le fromage est sec en surface, fermez bien le couvercle de la boîte d'affinage et continuez à mûrir à une température de 50 ° F à 55 ° F et à 90% d'humidité, en Qipping une ou deux fois par semaine.

12. Après 2 semaines, le fromage doit avoir développé un extérieur légèrement moisi. À 4 mois, envelopper le fromage dans du papier d'aluminium et conserver au réfrigérateur jusqu'à 2 mois de plus.

FROMAGE VEGAN

37. Cheddar aux noix de cajou

- 1 tasse de noix de cajou crues
- 1 tasse d'eau filtrée
- 1 cuillère à café de sel de l'Himalaya
- ¼ tasse de fécule de tapioca modifiée
- Bêta-carotène pressé à partir de 2 capsules de gel
- **1/4** tasse d'huile de noix de coco raffinée, et plus pour graisser la poêle
- 1½ cuillère à café de poudre d'agar-agar
- Placez les noix de cajou dans de l'eau filtrée dans un petit bol. Couvrir et réfrigérer toute la nuit.

a) Égouttez les noix de cajou. Dans le pichet d'un Vitamix, placez les noix de cajou, l'eau, l'amidon de tapioca modifié, le bêta-carotène, l'huile de coco et la poudre d'agar-agar.

b) Mélanger à haute vitesse jusqu'à consistance lisse.

c) Huiler un moule à charnière rond de 4,5 x 1 po avec de l'huile de noix de coco.

d) Transférer le mélange de noix de cajou dans une casserole et chauffer à feu moyen-doux, en remuant continuellement, jusqu'à ce qu'il devienne épais et de consistance semblable à du fromage. (Vous pouvez utiliser un thermomètre et chauffer le mélange à environ 145 degrés F.Voirici pour obtenir des conseils sur cette technique.)

e) À ce stade, vous pouvez étendre ce fromage chaud et épais sur du pain grillé pour un délicieux sandwich. ou vous pouvez plier le fromage dans le moule préparé et le mettre de côté pour refroidir.

f) Réfrigérez le fromage toute la nuit pour le mettre en place.

g) Passez un couteau autour du bord intérieur du moule. Relâchez la boucle du moule à ressort et, à l'aide du bord plat d'un grand couteau, relâchez le fromage du rond métallique inférieur.

h) Transférer sur une planche à découper. À l'aide d'un couteau bien aiguisé, trancher le fromage et servir

38. Gouda fumé

- 1/4 tasse de noix de cajou crues
- 1/4 tasse d'amandes crues
- 1/4 tasse d'huile de noix de coco raffinée, et plus pour le graissage
- 1 tasse d'eau filtrée
- 1/4 tasse de fécule de tapioca modifiée
- 1 goutte de bêta-carotène, pressée hors du capuchon de gel
- 1 cuillère à café de sel de l'Himalaya
- 2½ cuillères à soupe de flocons d'agar-agar
- 1 cuillère à café de fumée liquide
- a) Placez les noix de cajou dans de l'eau filtrée dans un petit bol. Couvrir et réfrigérer toute la nuit. Placez les amandes

dans l'eau filtrée dans un petit bol. Couvrir et réfrigérer toute la nuit.

b) Huiler légèrement un moule à charnière de 4 pouces avec de l'huile de noix de coco.

c) Égouttez les noix de cajou.

d) Porter 4 tasses d'eau à ébullition dans une casserole moyenne à feu moyen-vif. Ajouter les amandes et les blanchir 1 minute. Égouttez les amandes dans une passoire et retirez les peaux avec vos doigts (vous pouvez composter les peaux).

e) Dans le pichet d'un Vitamix, placez les noix de cajou, les amandes, l'eau, l'amidon de tapioca modifié, le bêta-carotène, l'huile de coco, le sel et l'agar-agar.

f) Mélanger à haute vitesse pendant 1 minute ou jusqu'à consistance lisse.

g) Transférer le mélange dans une casserole et chauffer à feu moyen-doux, en remuant continuellement, jusqu'à ce qu'il devienne épais et de consistance semblable à du fromage. (Vous pouvez utiliser un thermomètre et chauffer le mélange à environ 145 degrés F. Voirici pour obtenir des conseils sur cette technique.)

h) Ajouter la fumée liquide et mélanger avec une spatule en caoutchouc pour bien incorporer.

i) Versez le fromage dans le moule de forme printanière préparé. Lisser le fromage avec le dos d'une cuillère enduite d'huile de coco. Laisser refroidir le mélange, puis le recouvrir d'un papier sulfurisé rond coupé à la taille du moule à fromage. Transférer le fromage au réfrigérateur pendant la nuit pour le mettre en place.

j) Passez un couteau bien aiguisé autour du bord intérieur de la casserole. Relâchez la boucle et retirez l'anneau du moule. À l'aide du bord plat d'un grand couteau, séparez le fromage du rond métallique inférieur et transférez-le sur une planche à découper. Avec un couteau très aiguisé, trancher le fromage et servir

39. Boules de mozzarella en saumure

- 1 tasse de noix de cajou crues
- 1 tasse d'amandes crues

EAU SALÉE

- 12 tasses d'eau filtrée
- 2 cuillères à soupe pour ¼ tasse de sel rose de l'Himalaya
- 1 tasse d'eau filtrée
- 1/4 tasse de fécule de tapioca modifiée
- 1/4 tasse d'huile de coco raffinée
- 1 cuillère à café de sel de l'Himalaya
- 2½ cuillères à soupe de flocons d'agar-agar ou 1½ cuillère à café de poudre d'agar-agar

1. Placez les noix de cajou dans de l'eau filtrée dans un petit bol. Couvrir et réfrigérer toute la nuit.

2. Rincez bien les amandes. Mettez-les dans l'eau dans un petit bol. Couvrir et réfrigérer toute la nuit.
3. Préparez une solution de saumure en portant l'eau à ébullition dans une grande casserole à feu vif et en ajoutant le sel jusqu'à ce qu'il se dissolve.
4. Transférer la saumure dans un bol en céramique et placer au congélateur.
5. Porter 4 tasses d'eau à ébullition dans une casserole moyenne à feu moyen-vif. Ajouter les amandes et les blanchir 1 minute. Égouttez les amandes dans une passoire et retirez les peaux avec vos doigts (vous pouvez composter les peaux).

6. Égouttez les noix de cajou. Dans le bol d'un Vitamix, placez les noix de cajou, les amandes, l'eau, l'amidon de tapioca modifié, l'huile de coco, le sel et l'agar-agar.
7. Mélanger à haute vitesse pendant 1 minute ou jusqu'à consistance lisse.
8. Transférer le mélange dans une casserole et, en remuant continuellement, chauffer à feu moyen-doux jusqu'à ce qu'il devienne épais et de consistance fromage. (Vous pouvez utiliser un thermomètre et chauffer le mélange à environ 145 degrés F. Voirici pour obtenir des conseils sur cette technique.)

9. Retirez le fromage chaud de la casserole avec une cuillère à glace et déposez-le dans la saumure.

10. Ajouter 1 tasse de glace au mélange de fromage dans la saumure. Couvrir et transférer au réfrigérateur et réfrigérer toute la nuit.

40. Mozzarella aux noix de cajou et aux amandes

- 1 tasse de noix de cajou crues
- 1 tasse d'amandes
- 1 cuillère à café de vinaigre de cidre de pomme
- 1 cuillère à café de sel de mer celtique
- Une boîte de 15 onces de lait de coco
- 1/4 tasse d'huile de coco raffinée
- 1 tasse d'eau filtrée
- ½ tasse de flocons d'agar-agar
1. Placez les noix de cajou dans de l'eau filtrée dans un petit bol. Couvrir et réfrigérer toute la nuit.

2. Rincez bien les amandes. Mettez-les dans l'eau dans un petit bol. Couvrir et réfrigérer toute la nuit.
3. Tapisser deux moules rectangulaires antiadhésifs de 6 pouces avec une pellicule de plastique, en laissant suffisamment de pellicule de plastique en excès sur les côtés pour envelopper le mélange une fois refroidi.

4. Porter 4 tasses d'eau à ébullition dans une casserole moyenne à feu moyen-vif. Ajouter les amandes et les blanchir 1 minute. Égouttez les amandes dans une passoire et retirez les peaux avec vos doigts (vous pouvez composter les peaux). Égouttez les noix de cajou. Dans le bol d'un robot culinaire, placer les amandes et les noix de cajou et mélanger jusqu'à ce qu'ils aient une texture farineuse. Ajoutez le vinaigre et le sel. Pulse à nouveau plusieurs fois pour combiner.

5. Dans une petite casserole à feu moyen, mélanger le lait de coco, l'huile de coco et l'eau. Lorsque le mélange est réchauffé, ajouter les flocons d'agar-agar et remuer constamment jusqu'à ce que l'agar-agar soit dissous.

6. Avec le moteur en marche, versez le mélange dans le tube du robot culinaire et mélangez jusqu'à ce que le mélange soit crémeux. Arrêtez le moteur, retirez le couvercle et raclez les côtés. Traitez à nouveau pour vous assurer que le mélange est bien incorporé. Cela peut également être fait dans le Vitamix pour une texture plus lisse.

7. Versez le mélange dans les moules préparés et laissez refroidir sur le comptoir. Une fois le fromage refroidi, recouvrez-le de l'excès de pellicule plastique et réfrigérez pendant 24 heures ou jusqu'à ce qu'il soit ferme.

8. Sortez le fromage des moules et coupez-le en tranches.Utilisez-le comme garniture de pizza ou dans un panini tomate basilic!

41. Provolone végétalien

- 1 tasse de noix de cajou crues
- 1 tasse d'eau filtrée
- 1/4 tasse d'huile de noix de coco raffinée, et plus pour graisser la poêle
- 1/4 tasse de fécule de tapioca modifiée
- 2 gouttes de bêta-carotène, pressées hors du capuchon de gel
- 1 cuillère à café d'huile de truffe blanche
- 1 cuillère à café de sel de l'Himalaya
- 1½ cuillère à café de poudre d'agar-agar ou 2½ cuillères à soupe de flocons d'agar-agar

1. Placez les noix de cajou dans de l'eau filtrée dans un petit bol. Couvrir et réfrigérer toute la nuit.
2. Huiler légèrement un moule à charnière de 4,5 x 1,5 po avec de l'huile de noix de coco.
3. Égouttez les noix de cajou. Dans le pichet d'un Vitamix, placez les noix de cajou, l'eau, l'amidon de tapioca modifié, le bêta-carotène, l'huile de noix de coco, l'huile de truffe, le sel et l'agar-agar. Mélanger à haute vitesse pendant 1 minute ou jusqu'à consistance lisse.
4. Transférer le mélange dans une petite casserole à feu moyen-doux et remuer continuellement jusqu'à ce qu'il devienne épais et de consistance semblable à du fromage. (Vous pouvez utiliser un thermomètre et chauffer le mélange à environ 145 degrés F. Voir ici pour obtenir des conseils sur cette technique.)

5. Versez le fromage dans le moule à charnière préparé. Laissez refroidir. Couvrir d'un parchemin rond coupé à la taille du moule, puis transférer au réfrigérateur pendant la nuit pour mettre en place
6. Sortez le fromage du moule et placez-le sur une assiette de service. À l'aide d'un couteau très aiguisé, tranchez-le et mangez-le avec Kale Chip

42. Fromage de chèvre aux herbes et noix de macadamia

- 2 tasses de noix de macadamia crues
- 1 capsule acidophilus (souche de culture active de 3 milliards)
- 1 cuillère à café plus ⅛ cuillère à café de sel de mer celtique
- 1/4 tasse de lait de coco
- 2 cuillères à café d'huile de coco raffinée
- 1 cuillère à café de sel de l'Himalaya
- 2 cuillères à soupe d'épices grecques ou de zaatar (un mélange de thym, d'origan et de marjolaine)

1. Dans le pichet d'un Vitamix, placez les noix de macadamia, l'acidophilus, ½ cuillère à café de sel de mer celtique, le lait de coco, l'huile de coco et le sel de l'Himalaya. Mélanger à vitesse moyenne, en utilisant le piston pour répartir uniformément le mélange.

2. Transférer le mélange au centre d'un morceau d'étamine de 8 pouces. Rassemblez les bords et attachez votre paquet avec de la ficelle. Placer le paquet de fromage dans le déshydrateur et déshydrater à 90 degrés F pendant 24 heures.

3. Une fois le vieillissement terminé, ouvrez le paquet de fromage et, à l'aide d'une cuillère à glace, retirez tout le fromage du chiffon et placez-le (y compris la croûte et le centre) dans le bol d'un robot culinaire. Fouetter jusqu'à ce que léger et moelleux.

4. Ajustez les assaisonnements au goût. Si le goût est trop doux, ajoutez les ⅛ cuillère à café restantes de sel marin celtique.

5. Retourner le fromage sur un plan de travail et le diviser en deux. Poser une moitié dans un morceau de papier ciré de 8 pouces. Rouler le fromage à l'intérieur du papier ciré en faisant des va-et-vient pour créer une bûche. Répétez avec la seconde moitié.

6. Une fois la forme définie, égalisez les extrémités et roulez doucement et appuyez sur les herbes. Enveloppez doucement les bûches dans une étamine. Transférer au réfrigérateur pendant 2 heures. Servir.

43. Fromage de chèvre Ahimsa

- 2 tasses d'amandes
- 3½ cuillères à café de vinaigre de cidre de pomme, et plus au besoin
- 1 cuillère à café de sel de mer celtique, et plus au besoin
- ½ tasse de lait de coco
- 1 cuillère à café d'huile de coco raffinée
1. Faites tremper les amandes pendant au moins 8 heures dans de l'eau filtrée. Pour les faire germer, rincez les amandes à l'eau deux fois par jour pendant les 48 heures suivantes. Vous pouvez les conserver, recouverts d'un morceau de gaze, dans un endroit frais et sec. Mais assurez-vous de vidanger complètement l'eau à chaque fois que vous les rincez. Ou, si vous le souhaitez, vous pouvez sauter l'étape de germination et utiliser simplement des amandes trempées. Votre fromage sera toujours délicieux.

2. Porter 4 tasses d'eau à ébullition dans une casserole moyenne à feu moyen-vif. Ajouter les amandes germées et les blanchir rapidement pendant 1 minute. Égouttez les amandes dans une passoire et retirez les peaux avec vos doigts (vous pouvez composter les peaux).

3. Dans le pichet d'un Vitamix, placez les amandes, le vinaigre, le sel, le lait de coco et l'huile de coco. Mélanger à vitesse moyenne, en utilisant le piston pour répartir uniformément le mélange.

4. Transférer le mélange au centre d'un morceau d'étamine de 8 pouces. Rassemblez les bords et attachez-les en un paquet avec de la ficelle. Placez le paquet de gaze dans le déshydrateur et déshydrater à 90 degrés F pendant 19 à 24 heures.

5. Une fois le vieillissement terminé, ouvrez le paquet de gaze et, à l'aide d'une cuillère à glace, versez le fromage dans le bol d'un robot culinaire. Fouetter jusqu'à ce que léger et moelleux.

6. Ajustez les assaisonnements au goût. Si le goût est trop doux, ajoutez un autre ⅛ cuillère à café de vinaigre et ⅛ cuillère à café de sel.

7. Retourner le fromage sur du papier ciré. Divisez le fromage en deux parties égales. Rouler le fromage à l'intérieur du papier ciré, en faisant des va-et-vient pour créer deux bûches individuelles.

8. Profitez avec mon Salade de betteraves au fromage de chèvre ou avec vos craquelins sans gluten préférés.

44. Fromage bleu Gorgonzola

- 4 tasses de noix de cajou crues
- L'huile de coco, pour graisser les moules
- 1 capsule acidophilus (souche de culture active de 3 milliards)
- ¾ tasse de lait de coco
- 1 cuillère à café de sel de l'Himalaya
- ¼ à ½ cuillère à café de spiruline ou de spiruline liquide congelée
1. Placez les noix de cajou dans de l'eau filtrée dans un petit bol. Couvrir et réfrigérer toute la nuit.

2. Huiler légèrement deux moules à fromage de 4 pouces ou un moule à fromage de 6 pouces avec de l'huile de noix de coco.
3. Égouttez les noix de cajou. Dans le bol d'un Vitamix, placez les noix de cajou, l'acidophilus, le lait de coco et le sel. Mélanger à vitesse moyenne, en utilisant le piston pour répartir uniformément le mélange jusqu'à consistance lisse.
4. Transférer le mélange dans un petit bol et saupoudrer de spiruline en poudre ou casser de petits morceaux de spiruline vivante congelée et les déposer au hasard sur le mélange de fromage. À l'aide d'une petite spatule en caoutchouc, marbrer la spiruline à travers le mélange pour créer des veines bleu-vert.

5. Transférer le mélange dans les moules à fromage préparés et les placer dans le déshydrateur surmonté de rondelles de papier sulfurisé coupées pour s'adapter au sommet des moules.
6. Déshydrater à 90 degrés F pendant 24 heures.
7. Transférer les moules au réfrigérateur pendant la nuit.
8. Retirez le fromage des moules et dégustez-le ou placez-le dans un humidificateur ou un refroidisseur à vin pendant 1 à 3 semaines. Frottez l'extérieur avec du sel de mer fin tous les quelques jours pour éviter l'apparition de moisissure noire. Le goût du fromage continuera à se développer à mesure qu'il vieillit.

45. Cheddar chipotle

- 1½ tasse de noix de cajou crues
- 1/4 tasse de mousse d'Irlande
- ½ tasse d'eau filtrée
- 1 cuillère à café d'huile de coco raffinée
- ½ cuillère à café de piment chipotle dans un pot, plus 1 cuillère à soupe d'huile du pot
- ½ cuillère à café de sel de mer celtique, et plus au goût
- 2 cuillères à soupe de levure nutritionnelle
1. Placez les noix de cajou dans de l'eau filtrée dans un petit bol. Couvrir et réfrigérer toute la nuit.
2. Rincez très bien la mousse d'Irlande dans une passoire jusqu'à ce que tout le sable soit enlevé et que l'odeur de l'océan disparaisse. Ensuite, placez-le dans l'eau dans un petit bol. Couvrir et réfrigérer toute la nuit.
3. Égouttez la mousse d'Irlande et placez-la dans le bol d'un Vitamix avec l'eau. Mélanger à haute vitesse pendant 1

minute ou jusqu'à ce qu'il soit émulsionné. Mesurez 2 cuillères à soupe et réservez le reste.

4. Égouttez les noix de cajou. Dans un pichet propre d'un Vitamix, placez les noix de cajou, la mousse d'Irlande émulsionnée, l'huile de coco, le piment chipotle, l'huile de chipotle, le sel et la levure nutritionnelle. Mélanger à vitesse moyenne, en utilisant le piston pour répartir uniformément les ingrédients jusqu'à consistance lisse.

5. Ajustez le sel au goût. Versez le mélange au centre de votre tamale avant de l'envelopper. Olé!

46. Fromage bleu de cajou

- 2 tasses de noix de cajou crues
- 1/4 tasse de mousse d'Irlande
- ½ tasse d'eau filtrée
- 1 cuillère à soupe de levure nutritionnelle 1½ cuillère à café de sel de mer celtique
- 2 cuillères à café d'huile de coco raffinée
- 1 cuillère à café d'ail en poudre
- 1 capsule acidophilus (souche de culture active de 3 milliards)
- 1/4 tasse d'aquafaba (eau d'une boîte de 15,5 onces de pois chiches)
- ½ cuillère à café de spiruline en poudre ou de spiruline vivante congelée

1. Placer les noix de cajou dans de l'eau filtrée dans un petit pichet. Couvrir et réfrigérer toute la nuit.

2. Rincez très bien la mousse d'Irlande dans une passoire jusqu'à ce que tout le sable soit enlevé et que l'odeur de l'océan disparaisse. Ensuite, placez-le dans de l'eau filtrée dans un petit bol. Couvrir et réfrigérer toute la nuit.

3. Égouttez la mousse d'Irlande et placez-la dans le bol d'un Vitamix avec l'eau. Mélanger à haute vitesse pendant 1 minute ou jusqu'à ce qu'il soit émulsionné. Mesurez 2 cuillères à soupe et réservez le reste.

4. Égouttez les noix de cajou. Dans un pichet propre de Vitamix, placez les noix de cajou, la mousse d'Irlande émulsionnée, la levure nutritionnelle, le sel, l'huile de noix de coco, l'ail en poudre, l'acidophilus et l'aquafaba.

5. Mélanger à vitesse moyenne, en utilisant le piston pour répartir uniformément le mélange. Transférer le mélange dans un moule à fromage.

6. Saupoudrer de spiruline sur le fromage et, à l'aide d'une petite spatule, marbrer le tout dans tous les sens. Ne mélangez pas trop ou votre fromage deviendra vert.

7. Placer le moule à fromage dans le déshydrateur et déshydrater à 90 degrés F pendant 24 heures. Réfrigérez toute la nuit.

8. Servir ou conserver dans un humidificateur ou un refroidisseur à vin jusqu'à 3 semaines.

47. Burrata végétalienne

DONNE ENVIRON 2 TASSES

- 2 tasses d'amandes crues
- 1 cuillère à soupe de vinaigre de cidre de pomme
- 1 cuillère à café de sel de l'Himalaya
- 1/4 tasse de lait de coco plus 1 tasse pour le trempage
- 1 cuillère à café d'huile de coco

1. Faites tremper les amandes pendant au moins 8 heures dans de l'eau filtrée. Pour les faire germer, rincez les amandes avec de l'eau filtrée deux fois par jour pendant les 48 heures suivantes. Vous pouvez les conserver,

recouverts d'un morceau de gaze, dans un endroit frais et sec. Mais assurez-vous de vidanger complètement l'eau à chaque fois que vous les rincez. Ou si vous le souhaitez, vous pouvez sauter l'étape de germination et utiliser simplement des amandes trempées. Votre fromage sera toujours délicieux.

2. Porter 4 tasses d'eau à ébullition dans une casserole moyenne à feu moyen-vif. Ajouter les amandes et les blanchir rapidement pendant 1 minute. Égouttez les amandes dans une passoire et retirez les peaux avec vos doigts (vous pouvez les composter).

3. Dans le pichet d'un Vitamix, placez les amandes, le vinaigre, le sel, ½ tasse de lait de coco et l'huile de coco. Mélanger à vitesse moyenne, en utilisant le piston pour répartir uniformément le mélange jusqu'à ce qu'il soit bien incorporé et lisse.

4. Transférer les ingrédients au centre d'un morceau d'étamine fine de 8 pouces. Rassemblez les bords et attachez-les en un paquet avec de la ficelle. Accrochez le paquet de fromage sur un crochet sur le mur ou sur le dessous d'une armoire. Placez un petit plat en dessous pour récupérer le liquide. Suspendez toute la nuit ou jusqu'à ce qu'une croûte tendre et foncée se forme.

5. Placez le paquet de gaze dans un petit bol et ajoutez 1 tasse de lait de coco restante. Couvrir et laisser tremper au réfrigérateur pendant 3 à 5 jours.

6. Avant de servir, couper le fromage en tranches et disposer sur des légumes verts frais avec des tomates en dés. Essayez de verser 1 cuillère à soupe de lait de coco trempé sur le dessus des tranches. Versez un peu d'huile

d'olive de haute qualité et de vinaigre balsamique sur votre création gastronomique, garnissez d'un peu de poivre frais moulu et servez. Puis tombez par terre en extase. Vous êtes les bienvenus.

48. Fromage miso japonais

FAIT 2 TASSES DE FROMAGE

- 1 tasse de noix de cajou crues
- 1 tasse de viande de noix de coco fraîche d'une noix de coco brune (ne pas remplacer par des flocons de noix de coco)
- ⅔ tasse d'aquafaba (liquide de pois chiches en conserve)
- 1 cuillère à soupe d'huile de coco, et plus pour graisser les moules à fromage
- 2 gousses d'ail noir fermentées
- 1 cuillère à soupe de pâte de miso de pois chiches

- 1 cuillère à soupe de levure nutritionnelle
- 1 cuillère à café de vinaigre de cidre de pomme
- 1 petit brin d'algue, toute variété
- Une pincée de sel marin celtique à gros grains

1. Placez les noix de cajou dans de l'eau filtrée dans un petit bol. Couvrir et réfrigérer toute la nuit.

2. Dans le bol d'un robot culinaire, battre les morceaux de noix de coco fraîches jusqu'à l'obtention d'une texture farineuse. Couvrir et réfrigérer jusqu'au moment de servir.

3. Huiler légèrement un moule à fromage rond de 4 pouces avec de l'huile de noix de coco.

4. Égouttez les noix de cajou. Dans le pichet d'un Vitamix, placez les noix de cajou, la noix de coco, l'aquafaba et l'huile de noix de coco. Mélanger à vitesse moyenne, en utilisant le piston pour répartir uniformément le mélange jusqu'à ce qu'il soit bien incorporé et lisse. Vous devrez peut-être vous arrêter et gratter les côtés avec une spatule en caoutchouc, puis recommencer.

5. Transférer le fromage dans le moule à fromage préparé. Placer le moule à fromage dans le déshydrateur et déshydrater à 90 degrés F pendant 24 heures.

6. Retirez le fromage du moule et placez-le dans le bol d'un robot culinaire. Ajouter l'ail, le miso, la levure nutritionnelle et le vinaigre. Traitez pendant 1 minute ou jusqu'à consistance lisse. Transférer le mélange dans un petit plat de service décoratif. Vous pouvez également le transférer dans le moule préparé et le réfrigérer pendant 24 heures.

49. Ricotta de noix de cajou fouettée

DONNE 2 TASSES

- 2 tasses de noix de cajou crues
- 1/4 tasse de mousse d'Irlande
- ¾ tasse d'eau filtrée
- 1 cuillère à café de rejuvelac
- 2 cuillères à café de jus de citron frais
- 2 cuillères à soupe d'aquafaba
- 1 cuillère à café de sel de mer celtique

1. Placez les noix de cajou dans de l'eau filtrée dans un petit bol. Couvrir et réfrigérer toute la nuit.

2. Rincez très bien la mousse d'Irlande dans une passoire jusqu'à ce que tout le sable soit enlevé et que l'odeur de l'océan disparaisse. Ensuite, placez-le dans l'eau dans un petit bol. Couvrir et réfrigérer toute la nuit.

3. Égouttez la mousse d'Irlande et placez-la dans le pichet d'un Vitamix avec ½ tasse d'eau. Mélanger à haute vitesse pendant 1 minute ou jusqu'à ce qu'il soit émulsionné. Mesurez 2 cuillères à soupe et réservez le reste.

4. Dans un bol propre de Vitamix, placez les noix de cajou, la mousse d'Irlande émulsionnée, le rejuvelac, le quart de tasse d'eau restant et le sel. Mélanger à vitesse moyenne, en utilisant le piston pour répartir uniformément le mélange, en arrêtant et en commençant jusqu'à ce que tout soit bien incorporé.

5. Transférer le fromage au centre d'un morceau d'étamine fine de 8 pouces. Rassemblez les bords et attachez-les en un paquet avec de la ficelle.

6. Placez le paquet de gaze dans le déshydrateur et déshydrater à 90 degrés F pendant 24 heures.

7. Transférer le fromage dans le bol d'un robot culinaire et mélanger jusqu'à ce que la texture soit légère et mousseuse.

50. Fromage de noix de coco et de cajou

FAIT DEUX RONDES DE 4 POUCES

- 2 tasses de noix de cajou crues
- 2 cuillères à soupe d'huile de coco, et plus pour graisser les moules à fromage
- 2 tasses de viande de noix de coco fraîche d'une noix de coco brune (ne pas remplacer par des flocons de noix de coco)
- 1/4 tasse d'aquafaba (liquide de pois chiches en conserve)
- 1 cuillère à café de sel de l'Himalaya Pétales de fleurs comestibles, pour la décoration

1. Placez les noix de cajou dans de l'eau filtrée dans un petit bol. Couvrir et réfrigérer toute la nuit.

2. Huiler légèrement deux moules à fromage de 4 pouces avec de l'huile de noix de coco.

3. Dans le bol d'un robot culinaire, placer la noix de coco et mélanger jusqu'à l'obtention d'une texture farineuse. Mettre de côté.

4. Égouttez les noix de cajou. Dans le pichet d'un Vitamix, placez les noix de cajou, la noix de coco, l'aquafaba, le sel et l'huile de noix de coco. Mélanger à vitesse moyenne, en utilisant le piston pour répartir uniformément le mélange jusqu'à consistance lisse.

5. Vous devrez peut-être arrêter le mélangeur et gratter les côtés à l'aide d'une spatule en caoutchouc plusieurs fois.

6. Transférer le mélange dans les moules à fromage préparés. Couvrir les moules avec des ronds de papier sulfurisé découpés pour s'adapter aux moules.

7. Placer les moules à fromage dans le déshydrateur et déshydrater à 90 degrés F pendant 24 heures. Réfrigérez toute la nuit.

8. Retirez le fromage des moules. Disposer sur des assiettes et décorer avec des pétales de fleurs comestibles.

CONCLUSION

Le fromage est une bonne source de calcium, un nutriment clé pour la santé des os et des dents, la coagulation du sang, la cicatrisation des plaies et le maintien d'une tension artérielle normale. ... Une once de fromage cheddar fournit 20 pour cent de ces besoins quotidiens. Cependant, le fromage peut également être riche en calories, en sodium et en graisses saturées. Le fromage est délicieux aussi !!

De plus en plus de preuves indiquent que manger une petite quantité de fromage après un repas peut potentiellement aider à prévenir la carie dentaire et favoriser la reminéralisation de l'émail. Non seulement le fromage contient une bonne quantité de calcium, qui soutient des dents fortes et saines, le fromage aide à créer plus de salive dans la bouche, ce qui aide à éliminer les particules de nourriture collées à vos dents afin qu'elles n'aient aucune chance de s'installer et de provoquer des taches. . Les fromages à pâte dure, comme le cheddar, sont les plus efficaces, alors ajoutez 1 once. morceau après un repas qui comprend des aliments qui tachent les dents.

Lorsqu'il est fabriqué correctement, le fromage fait maison est souvent meilleur pour vous que les fromages achetés en magasin ou dans le commerce, car ils ne contiennent pas autant d'agents de conservation ou d'autres ingrédients artificiels nocifs.